실력도 **탑!** 재미도 **탑!**
사고력 수학의 으뜸

KB157161

B3

이 책의 목차

TOP 사고력 수학의 특징

TOP사고력 수학 A/B 시리즈 는 수학 경시 대회와 영재교육원을 대비하여 꼭 알아야 할 교과서 밖 수학 개념과 실전 문제로 학생을 최상위권으로 이끌어줄 교재입니다.

보통의 상위권 실전 문제집들이 주제별로 적은 수의 문제를 나열하는 구성이라면 TOP사고력 수학은 풍부한 개념과 여러 가지 문제해결의 원리를 캐릭터들과 함께 재미있게 살펴본 후, 유형별로 충분히 연습할 수 있도록 하였습니다. 더불어 "사고력 쑥쑥"이라는 이름의 별도 구성을 두어 주제별 학습 이후에 다양한 문제를 해결하면서 주제별 다지기 학습을 할 수 있도록 했습니다.

수학적 "깜냥" 키우기

깜냥의 뜻 - 스스로 일을 헤아릴 수 있는 능력

TOP사고력 수학의 학습 목표는 처음 보는 문제를 만나더라도 문제가 요구하는 바를 정확하게 파악하고 스스로 해결할 수 있는 능력, 즉 수학적 깜냥을 키우는 것입니다. 그런 의미에서 이 책의 주인공은 깜냥에서 따온 깜이와 냥이라는 두 아이와 수학 선생님입니다. 다양한 실전 문제를 해결하기에 앞서서 개념과 원리를 깜이, 냥이와 선생님이 이야기하듯이 재미있게 알려 줍니다.

깜이   냥이   선생님

스토리텔링 수학!

스토리텔링의 본질은 이야기를 전달하는 것이 아니라 말하는 사람과 듣는 사람 간의 상호 작용을 통해서 듣는 사람이 스스로 생각하면서 이해할 수 있도록 하는 것입니다. TOP사고력 수학은 만화나 이야기를 매개체로 하여 내용을 전달하는 형식적인 스토리텔링이 아니라 아이에게 상황을 그림으로 보여주고 질문을 하고, 활동 자료로 직접 해 볼 수 있도록 하고, 게임을 하면서 연습할 수 있도록 하는 가장 효과적인 스토리텔링 수학입니다.

체계적 구성과 충분한 연습으로 사고력 쑥쑥!!

각 단원의 시작은 "생각열기"로 학생들이 공부할 주제에 대해 먼저 생각해 보도록 질문을 던지고, 다음 쪽에서 선생님의 설명이 이어집니다. 작은 주제별로도 상황에 맞는 개념과 원리를 충분히 알아본 후, "탐구 유형"에서 유형별로 문제를 다루어 보도록 하였습니다. 단원의 마지막인 "TOP 사고력"에서는 실전 사고력 문제로 단원을 마무리하게 됩니다.

책의 뒷부분에는 각 단원의 복습 및 다지기를 할 수 있는 "사고력 쑥쑥"을 두어 충분한 연습으로 공부한 내용을 자기 것으로 만들 수 있도록 하였습니다.

예비 활동 가이드

TOP사고력 수학 A/B 시리즈는 실전에 강한 수학 공부를 목표로 하기 때문에 교구의 도움 없이 문제 해결을 하도록 하였습니다. 그 대신 주제에 따라 스스로 원리를 이해하고 문제를 해결하는데 도움이 되도록 예비 활동 가이드를 두어 필요에 따라 문제를 해결해 보기 전에 해 볼 수 있는 활동을 제시하였습니다.

저자 동영상 강의

정답지에서 글로 전달하기 힘든 교육 방법, 활용의 예, 개념의 확장 등의 동영상을 제공합니다. 동영상은 PC에서 볼 수도 있고, QR코드를 이용하여 모바일로 이용할 수도 있습니다.

TOP 사고력 수학 시리즈

- **영역별 나선형식 반복 학습 구조**
- **나이, 학년 단계별 수학의 각 영역 비중 차등**
- **경시, 영재교육원 등의 최신 문제 경향 반영**

유아 단계와 초등 단계의 학습 목표

- **K/P시리즈** - 초등 입학 전 알아야 할 필수적인 수학 개념을 익히면서 수감각, 공간지각력, 논리력, 문제 이해력 등 수학적 직관력을 키우기
- **A/B시리즈** - 초등 저학년을 대상으로 수학 경시, 영재교육원의 대비와 최상위권으로 이끌기

시리즈별 학습 단계

- **K시리즈** - 수학의 시작 단계(6~7세)
- **P시리즈** - 초등 입학 준비 단계(7~8세)
- **A시리즈** - 초등 1학년 과정을 마친 학생을 대상으로 한 심화 사고력(초1~초2)
- **B시리즈** - 초등 2학년 과정을 마친 학생을 대상으로 한 심화 사고력(초2~초3)

TOP 사고력 수학의 구성

생각열기

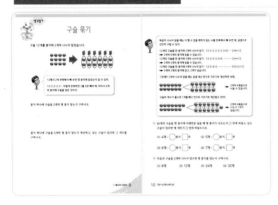

각 단원의 첫 페이지는 공부할 주제에 대한 발문의 역할을 하는 "생각열기"입니다.

재미있게 공부할 주제에 대한 호기심을 유발하고, 간단한 질문에 답하도록 합니다. 꼭 정답을 맞추기보다는 스스로 생각해 보는 것에 초점을 맞추도록 합니다.

스스로 먼저 생각하는 데 방해가 되지 않도록 질문에 대한 설명은 다음 쪽에 있습니다.

원리 탐구

작은 주제별 개념과 문제해결의 원리를 알아보고, 확인 문제를 해결해 봅니다.

탐구 유형

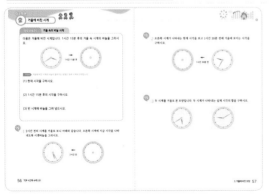

주제별로 여러 가지 유형별 문제를 공부합니다. 문제해결의 원리를 발견할 수 있도록 단계적으로 질문에 따라 문제를 풀어봅니다.

TOP 사고력

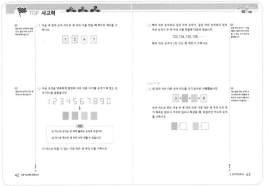

주제별 최고 난이도의 심화 문제를 공부합니다.

사고력 쑥쑥

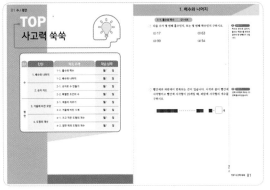

81쪽에서 112쪽까지 32쪽에 걸쳐서 앞에서 공부한 부분을 스스로 복습합니다. 80쪽에는 작은 주제의 복습을 시작하는 날짜를 적어서 한 권을 마치는 동안 공부한 시간을 한 눈에 볼 수 있도록 했습니다.

예비 활동 가이드와 활동 자료

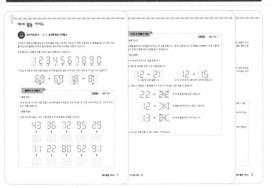

본문을 공부하기 전에 예비 활동을 소개하고 활동에 필요한 활동 자료가 들어 있습니다.

B 시리즈의 학습 내용

B1

연산	1. 곱셈
	2. 식 만들기
측정	3. 길이, 무게, 들이
	4. 시각, 날짜

B2

수	1. 배수와 나머지
	2. 숫자 카드와 수
평면	3. 거울에 비친 모양
	4. 도형의 개수

B3

논리	1. 논리 추론
	2. 경로와 위치
평면	3. 펜토미노 퍼즐
	4. 도형 움직이기

B4

연산	1. 저울산
	2. 여러 가지 배수 관계
입체	3. 쌓기나무 놀이
	4. 주사위

B5

규칙	1. 수의 규칙
	2. 모양 규칙
확률과 통계	3. 순서대로 나열하기
	4. 리그와 토너먼트

B6

문제 해결	1. 간격의 개수와 길이
	2. 거꾸로 해결하기
	3. 차 탐구
	4. 포함과 배제

동영상 강의를 활용해요.

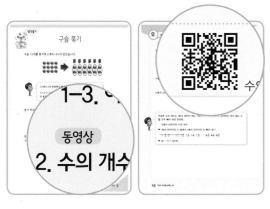

단원의 목차에는 동영상 이라는 표시가, 각 페이지의 윗부분에는 ▨모양이 있으면 동영상 강의가 있다는 뜻입니다.

동영상 강의에서는 문제를 해결하는 원리를 좀 더 쉽게 설명해 줍니다. 어려운 부분은 동영상 강의를 이용할 수 있습니다.

예비 활동을 활용해요.

단원의 목차에는 예비활동 이라는 표시가, 각 페이지의 윗부분에는 예비활동가이드 1쪽 표시가 있으면 문제를 풀기 전에 해 보면 좋은 활동이 있다는 뜻입니다.

예비 활동 가이드와 활동 자료를 이용하여 활동이나 게임을 먼저 해 보고 나서 책의 문제를 풀어보면 좀 더 재미있고, 쉽게 문제를 해결할 수 있습니다.

접는 선을 따라 종이를 접고 문제를 풀어요.

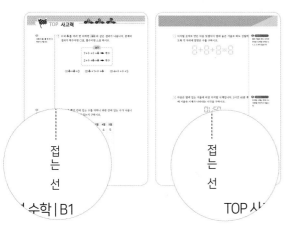

"TOP 사고력"과 "사고력 쑥쑥"에는 접는 선이 표시되어 있습니다. 접는 선 표시에 따라 종이를 접고 문제를 풀고, 어려운 경우 종이를 펼쳐서 도움글을 보고 해결해 봅니다.

TOP 사고력 수학

1. 논리 추론

TOP 사고력

자물쇠 번호

냥이의 자물쇠를 깜이가 열어 보고 있습니다.

 네 개의 숫자를 빨간선에 일치시키면 열려. 1, 2, 3, 4를 한 번씩 사용해서 열 수 있어. 숫자의 순서를 맞춰 봐.

 2개는 맞았어.

 다 틀렸네.

자물쇠를 여는 번호를 차례로 쓰시오.

번호 2, 4의 위치는 두 자물쇠가 같아. 두 번째 자물쇠는 번호가 모두 틀렸기 때문에 첫 번째 자물쇠에서 위치가 정확한 번호 두 개는 1, 3이야.
순서와 번호가 맞는 칸에 ○표, 틀린 칸에 X표 하면 아래와 같아!

번호＼순서	첫 번째	두 번째	세 번째	네 번째
1	○		X	
2		X		
3	X		○	
4				X

○표는 한 줄에 한 칸에만 할 수 있기 때문에 다음과 같이 표를 이용해 나머지 번호를 구할 수 있어. 왼쪽부터 순서대로 1, 4, 3, 2야!

번호＼순서	첫 번째	두 번째	세 번째	네 번째
1	○	X	X	X
2	X	X	X	○
3	X	X	○	X
4	X	○	X	X

🌱 그림의 자물쇠는 1, 2, 3, 4를 한 번씩 사용하여 열 수 있습니다. 세 자물쇠 모두 순서가 맞는 숫자가 하나도 없을 때 자물쇠를 여는 번호를 차례로 쓰시오.

번호＼순서	첫 번째	두 번째	세 번째	네 번째
1				
2				
3				
4				

탐구주제 1 짝짓기

탐구 유형 1-1   상자 안의 공

4개 중 3개의 상자에 서로 다른 색깔의 공이 들어있고 하나는 비어 있습니다. 설명을 보고 노란색 공이 들어있는 상자의 기호를 구하시오.

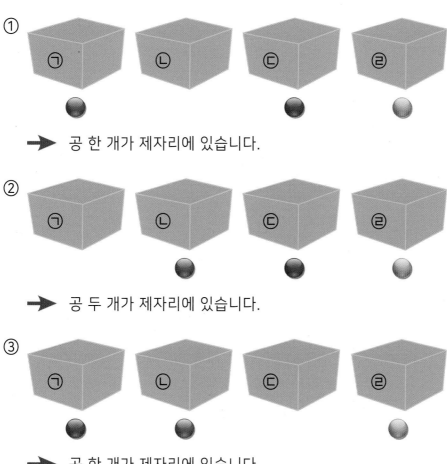

① ㉠ ㉡ ㉢ ㉣
➡ 공 한 개가 제자리에 있습니다.

② ㉠ ㉡ ㉢ ㉣
➡ 공 두 개가 제자리에 있습니다.

③ ㉠ ㉡ ㉢ ㉣
➡ 공 한 개가 제자리에 있습니다.

Point 그림을 두 개씩 비교하며 같은 위치에 있는 공이 어떤 것인지 먼저 구합니다.

(1) ①, ②번 설명을 비교하고 위치를 확실히 알 수 있는 공과 그 위치를 구하시오.

(2) 노란색 공이 들어있던 상자의 기호를 구하시오.

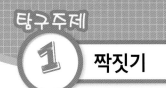 
연습 01 3명이 탁자에 앉아 있습니다. 설명을 보고 연수의 반대편 자리의 사람을 구하시오.

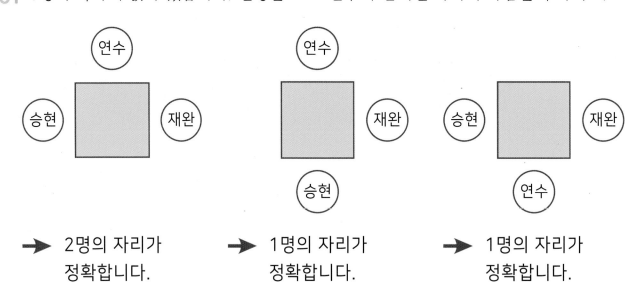

연습 02 냥이가 번호가 적힌 네모판에 서로 다른 색의 원 3개를 그렸습니다. 냥이가 그린 것과 다른 친구들이 그린 것을 비교한 설명을 보고 냥이가 초록색 원을 그린 위치에 ○표 하시오.

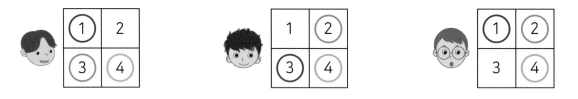

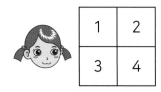

좋아하는 과일

깜이, 냥이, 지희, 승연이는 수박, 사과, 바나나, 체리 중 서로 다른 과일을 좋아합니다. 네 명이 좋아하는 과일을 구하시오.

> · 깜이와 냥이는 체리를 싫어합니다.
> · 승연이, 지희가 좋아하는 과일은 사과 또는 체리입니다.
> · 체리를 좋아하는 사람은 지희보다 어립니다.
> · 깜이는 수박을 좋아하는 사람과 짝꿍입니다.

Point ▷ 세 번째, 네 번째 조건으로 지희는 체리를 좋아하지 않고 깜이는 수박을 좋아하지 않는 것을 알 수 있습니다.

(1) 좋아하는 과일과 같은 줄의 칸에 ○표, 싫어하는 과일과 같은 줄의 칸에 ✕표 하시오.

과일＼이름	깜이	냥이	지희	승연
수박				
사과				
바나나				
체리				

(2) 네 사람이 좋아하는 과일을 ▢ 안에 써넣으시오.

깜이- ▢　　　냥이- ▢　　　지희- ▢　　　승연- ▢

01 민영, 예진, 도연, 희성이는 4층 건물의 서로 다른 층에 살고 있습니다. 다음을 보고 희성이가 사는 층수를 구하시오.

> · 민영: 예진이는 내 바로 위층에 살아.
> · 예진: 난 2층보다 높은 곳에서 살지 않아.
> · 도연: 우리 집은 4층이 아니야.

이름＼층수	1층	2층	3층	4층
민영				
예진				
도연				
희성				

02 제민, 승현, 연수, 재완이가 4개의 숫자 카드를 하나씩 나누어 가졌습니다. 다음을 보고 재완이의 카드에 적힌 숫자를 구하시오.

> · 재완이의 카드에 적힌 숫자는 승현이의 카드에 적힌 숫자보다 작지만 연수의 카드에 적힌 숫자보다는 큽니다.
> · 승현이의 카드에 적힌 숫자는 연수의 카드에 적힌 숫자의 2배입니다.

4 5

8 1

숫자＼이름	제민	승현	연수	재완
1				
4				
5				
8				

 두 개의 연역표

탐구 유형 1-3 **성, 이름, 나이**

가희, 나정, 다연이의 성은 최, 이, 강 씨 중 하나인데 성이 다릅니다. 이 세 명의 나이는 9살, 10살, 11살 중 하나인데 서로 다릅니다. 다음을 보고 가희의 성과 나이를 구하시오.

> ① 강 씨의 나이는 11살보다 적습니다.
> ② 이 씨의 나이는 9살입니다.
> ③ 가희는 강 씨가 아니고 나정이는 최 씨가 아닙니다.
> ④ 나정이의 나이는 10살이 아닙니다.

(1) 각 성을 가진 사람의 나이를 구하시오.

성＼나이	9살	10살	11살
최 씨			
이 씨			
강 씨			

최씨 － ☐ 살

이씨 － ☐ 살

강씨 － ☐ 살

Point ► ①번, ②번 조건으로 표를 채워 나이를 구할 수 있습니다.

(2) 각 사람들의 성을 구하시오.

성＼이름	가희	나정	다연
최 씨			
이 씨			
강 씨			

가희 － ☐ 씨

나정 － ☐ 씨

다연 － ☐ 씨

Point ► ③번, ④번 조건으로 표를 채워 성을 구할 수 있습니다. ④번 조건은 위의 표와 비교하며 생각합니다.

(3) 가희의 성과 나이를 구하시오.

☐ 씨   ☐ 살

1 짝짓기

01 민주, 예진, 진아는 3층 건물의 서로 다른 층에 살고 있습니다. 성은 김, 박, 강 씨 중 하나인데 서로 다릅니다. 다음을 보고 각 층에 사는 사람의 이름과 성을 구하시오.

> ① 민주는 예진이보다 아래층에 삽니다.
> ② 김 씨는 예진이보다 위층에 삽니다.
> ③ 강 씨는 민주 바로 위층에 삽니다.

층수 \ 이름	민주	예진	진아
3층			
2층			
1층			

층수 \ 성	김 씨	박 씨	강 씨
3층			
2층			
1층			

02 지우, 연수, 제민이는 옆으로 나란히 있는 서로 다른 집에 살고 직업은 의사, 변호사, 연구원 중 하나인데 서로 다릅니다. 세 번째 집에 사는 사람의 이름과 직업을 구하시오. 단, 제일 왼쪽 집부터 차례로 첫 번째, 두 번째, 세 번째 집입니다.

> ① 지우는 의사가 사는 집 왼쪽에 삽니다.
> ② 제민이의 집 왼쪽에는 의사가 삽니다.
> ③ 변호사는 첫 번째 집에 삽니다.

직업 \ 집	첫 번째	두 번째	세 번째
의사			
변호사			
연구원			

이름 \ 집	첫 번째	두 번째	세 번째
지우			
연수			
제민			

2 참과 거짓

 참인 문장

1등은 누구?

4명 중에서 3명은 거짓말을 하고 한 명은 맞는 말을 합니다. 다음 대화를 보고 1등한 사람을 구하시오. 단, 1등은 한 명만 있습니다.

윤주: 한솔이가 1등이야.   도영: 한솔이는 거짓말하고 있어.

희찬: 나는 1등이 아니야.   한솔: 도영이가 1등이야.

Point 1등이라고 가정한 사람과 다른 사람을 1등이라고 말하면 거짓말을 하는 것입니다.

(1) 1등이 누구인지 가정하고 표를 만들었습니다. 표에 맞는 말을 하는 사람에 ○표, 거짓말을 하는 사람에 X표 하고, ○표가 하나인 표에 △표 하시오.

윤주가 1등인 경우

윤주	도영	희찬	한솔
X	○		

도영이가 1등인 경우

윤주	도영	희찬	한솔

희찬이가 1등인 경우

윤주	도영	희찬	한솔

한솔이가 1등인 경우

윤주	도영	희찬	한솔

(2) 1등인 사람을 구하시오.

01 3명 중 2명은 거짓말을 하고 한 명은 맞는 말을 합니다. 다음 대화를 보고 반장을 구하시오.

제민: 나는 반장이 아니야.   희성: 세홍이는 거짓말하고 있어.

세홍: 제민이가 반장이야.

제민이가 반장인 경우

제민	희성	세홍

희성이가 반장인 경우

제민	희성	세홍

세홍이가 반장인 경우

제민	희성	세홍

연습

02 4명 중 3명은 거짓말을 하고 한 명은 맞는 말을 합니다. 다음 대화를 보고 도둑인 사람을 구하시오.

제민: 재완이는 거짓말하고 있어.   승연: 나는 도둑이 아니야.
연수: 내가 도둑이야.   재완: 승연이가 도둑이야.

제민이가 도둑인 경우

제민	승연	연수	재완

승연이가 도둑인 경우

제민	승연	연수	재완

연수가 도둑인 경우

제민	승연	연수	재완

재완이가 도둑인 경우

제민	승연	연수	재완

연습

03 4명 중 3명은 맞는 말을 하고 한 명은 거짓말을 합니다. 다음 대화를 보고 복권에 당첨된 사람을 구하시오.

효진: 나는 복권에 당첨되지 않았어.   양우: 준영이가 복권에 당첨되었어.
지수: 양우가 복권에 당첨되었어.   준영: 나는 복권에 당첨되지 않았어.

효진이가 당첨된 경우

효진	양우	지수	준영

양우가 당첨된 경우

효진	양우	지수	준영

지수가 당첨된 경우

효진	양우	지수	준영

준영이가 당첨된 경우

효진	양우	지수	준영

탐구 유형 2-2   **본선에 오르는 팀**

한국, 그리스, 독일, 칠레 4팀이 축구 예선전을 해서 1, 2등이 본선에 오릅니다. 민우, 재용, 연수가 각자 경기 결과를 예상하였는데 하나씩만 맞았습니다. 본선에 오르는 팀을 구하시오.

> 민우: 한국 1등, 그리스 2등
> 재용: 독일 1등, 칠레 3등
> 연수: 칠레 2등, 그리스 4등

Point 한국이 1등인 경우와 그리스가 2등인 경우를 나누어 생각합니다.

(1) 민우의 예상 중 한국이 1등이라고 가정할 때, 재용의 예상 중 참인 것에 ○표, 거짓인 것에 X표 한 것입니다. 연수의 예상에 ○, X표를 완성하시오.

> 민우: 한국 1등, 그리스 2등
> 재용: 독일 1등, 칠레 3등
> 연수: 칠레 2등, 그리스 4등

(2) 민우의 예상 중 그리스가 2등이라고 가정할 때, 참인 것에 ○표, 거짓인 것에 X표 한 것입니다. 재용, 연수의 말에 ○, X표를 완성하시오.

> 민우: 한국 1등, 그리스 2등
> 재용: 독일 1등, 칠레 3등
> 연수: 칠레 2등, 그리스 4등

(3) 위의 (1), (2) 중 조건에 맞는 것은 무엇입니까?

(4) 본선에 오르는 2팀을 구하시오.

2 참과 거짓

연습 01 제민, 양우, 민수가 4개의 행성의 순서를 대답했는데 세 명 모두 두 개의 답변 중 하나만 정답입니다. 4개의 행성 중 태양에서 가장 먼 행성을 구하시오. 단, 가장 가까운 행성이 첫 번째입니다.

> 제민: 해왕성 두 번째, 화성 첫 번째
> 양우: 토성 세 번째, 목성 첫 번째
> 민수: 토성 두 번째, 해왕성 네 번째

해왕성이 두 번째인 경우

제민: 해왕성 두 번째, ~~화성~~ 첫 번째
양우: 토성 세 번째, 목성 첫 번째
민수: 토성 두 번째, 해왕성 네 번째

화성이 첫 번째인 경우

제민: 해왕~~성~~ 두 번째, 화성 첫 번째
양우: 토성 세 번째, 목성 첫 번째
민수: 토성 두 번째, 해왕성 네 번째

연습 02 지우, 연수, 제민이가 4개의 칸에 ○, ◇, □, △중 2개를 그렸습니다. 세 사람이 각자 그린 모양 2개 중 1개만 깜이가 그린 것과 위치가 같을 때 깜이가 그린 모양을 그리시오.

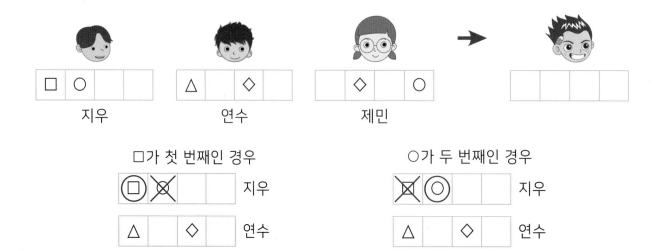

□가 첫 번째인 경우

○가 두 번째인 경우

야구게임은 한 사람이 생각한 숫자를 상대방이 맞추는 게임입니다. 다음과 같은 규칙으로 게임을 진행합니다.

야구게임

① 1에서 9까지의 서로 다른 숫자로 세 자리 수를 만듭니다.

② 상대방이 말한 세 자리 수와 자신이 만든 수를 비교해 다음과 같이 말합니다.

> 🌱 상대방이 말한 숫자와 자리가 같은 경우 - "S(스트라이크)"
>
> 🌱 상대방이 말한 숫자가 있지만 자리가 다른 경우 - "B(볼)"
>
> 🌱 상대방이 말한 숫자가 하나도 없는 경우 - "O(아웃)"

예) 냥이가 생각한 숫자가 275일 때

깜이가 말한 숫자: 264 → 1S   깜이가 말한 숫자: 159 → 1B
깜이가 말한 숫자: 168 → O   깜이가 말한 숫자: 287 → 1S1B
깜이가 말한 숫자: 276 → 2S

냥이가 세 자리 수를 정하고 깜이가 대답을 합니다. 깜이가 287이라고 말하니 냥이가 "1S2B" 라고 말하고 276이라고 말하니 냥이가 "2S" 라고 말합니다. 냥이가 정한 수를 구하시오.

> "1S2B" 라고 말할 때 숫자 3개가 어떤 것인지는 맞췄어. 공통으로 있는 숫자를 생각하면서 어떤 숫자의 자리가 바뀌었는지 생각하면 되겠지?
>
> 스트라이크, 볼, 아웃을 간단하게 "S", "B", "O"로 쓰기로 약속하자.

야구게임

야구 게임

탐구 유형 3-1 **세 자리 수 맞추기**

깜이가 1부터 9까지의 서로 다른 숫자로 만든 세 자리 수를 생각하고 냥이가 맞추는 야구게임을 하고 있습니다. 다음 결과를 보고 깜이가 생각한 세 자리 수를 구하시오.

931	➡	2B		634	➡	1S1B
769	➡	2B		147	➡	O

> **Point** 마지막 결과와 비교하며 어떤 숫자가 사용되지 않았는지 먼저 구합니다.

(1) 깜이가 생각한 숫자 3개를 구하시오.

(2) 깜이가 생각한 세 자리 수를 구하시오.

연습

01 윤주가 1부터 9까지의 서로 다른 숫자로 만든 세 자리 수를 생각하고 종혁이가 맞추는 야구게임을 하고 있습니다. 다음 결과를 보고 윤주가 생각한 세 자리 수를 구하시오.

951	➡	O		429	➡	2B
184	➡	2B		852	➡	2B

재민이가 1부터 9까지의 서로 다른 숫자로 만든 세 자리 수를 생각하고 승현이가 맞추는 야구게임을 하고 있습니다. 다음 결과를 보고 재민이가 생각한 세 자리 수를 구하시오.

463 →	1B		128 →	0
579 →	2S		769 →	1S1B
469 →	1S			

민서가 1부터 9까지의 서로 다른 숫자로 만든 세 자리 수를 생각하고 도경이가 맞추는 야구게임을 하고 있습니다. 세 자리 수를 구하기 위해 추가로 필요한 결과 하나를 고르시오.

719 →	1S1B		682 →	0
153 →	0			

① 789 → 1S1B   ② 638 → 0

③ 176 → 1S   ④ 156 → 0

01 가람, 윤서, 지후의 성은 김, 이, 박, 최 씨 중 하나인데 서로 다른 성을 가지고 있습니다. 다음을 보고 가람이의 성을 구하시오.

②번 조건으로 가람이의 성을 알 수 있습니다. ②번 조건은 가장 마지막에 봅니다.

> ① 지후는 김 씨도 아니고 이 씨도 아닙니다.
> ② 셋 중에 김 씨인 사람과 이 씨인 사람이 있습니다.
> ③ 지후의 아버지는 박씨가 아닙니다.
> ④ 김 씨인 사람은 가람이의 친구입니다.

이름＼성씨	김 씨	이 씨	박 씨	최 씨
가람				
윤서				
지후				

02 다음 중 하나는 참이고, 셋은 거짓입니다. 정호, 세민, 시후가 좋아하는 과일은 사과, 참외, 딸기인데 서로 다르다고 할 때 세민이가 좋아하는 과일을 구하시오.

①, ②가 함께 거짓이면 정호가 좋아하는 과일이 2개가 됩니다.

> ① 정호는 사과를 좋아하지 않습니다.
> ② 정호는 참외를 좋아하지 않습니다.
> ③ 시후는 참외를 좋아하지 않습니다.
> ④ 시후는 딸기를 좋아합니다.

①번이 참일 경우

정호	세민	시후

②번이 참일 경우

정호	세민	시후

③번이 참일 경우

정호	세민	시후

④번이 참일 경우

정호	세민	시후

접는 선

03 민주가 0부터 9까지의 서로 다른 숫자로 세 자리 수를 생각하고 은혁이가 맞추는 야구게임을 하고 있습니다. 다음 결과를 보고 민주가 생각한 세 자리 수를 구하시오.

682	→	1B		741	→	0
603	→	1S		953	→	1B
805	→	1S				

682와 603에서 6의 위치가 같지만 하나는 1B, 하나는 1S이므로 6을 사용하지 않았습니다.

마찬가지로 603과 953이 1S, 1B이므로 3을 사용하지 않았습니다.

TOP of TOP

04 제민, 승현, 연수, 재완, 윤주 5명이 번호가 적힌 둥근 탁자에 앉아 있습니다. 승현이가 ①번에 앉아 있을 때 다음을 보고 연수의 자리에 ○표 하시오.

> · 승현이와 연수는 붙어 있지 않습니다.
> · 윤주는 재완이 왼쪽에 앉아 있습니다.
> · 승현이는 제민이 왼쪽에 앉아 있습니다.

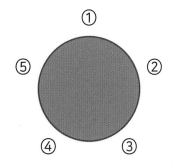

승현이와 제민이의 자리를 표시하고, 연수가 앉을 수 있는 자리를 따져 봅니다.

접는 선

TOP

사고력 수학

2. 경로와 위치

모든 방을 지나라

다음과 같이 9개의 방이 붙어 있습니다. 가로나 세로 방향으로 이동할 수 있고 대각선에 위치한 방으로는 갈 수 없습니다.

1	2	3
4	5	6
7	8	9

1번 방에서 2번, 4번 방으로 이동할 수 있지만 3번, 5번 방으로는 한 번에 이동할 수 없어.

깜이가 5번 방에서 출발해서 다른 모든 방을 한 번씩 지나 5번 방으로 돌아오려고 합니다. 가능한 길이 있는지 구해보고 가능한 길이 없다면 그 이유를 생각 해보시오.

방이 모두 9개 있으니까 8번 이동하고 1번 더 이동해야 5번 방에 돌아오겠지?

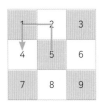

가로나 세로 방향으로만 이동할 수 있으니 홀수 번 방, 짝수 번 방을 반복해서 지나가지.

5번(홀수) ➡ 2번(짝수) ➡ 1번(홀수) ➡ 4번(짝수)

5는 홀수이기 때문에 8번 이동하면 홀수 번 방에 도착해. 이 홀수 번 방에서 다시 5번 방으로 가려면 반드시 한 번 지나갔던 짝수 번 방을 다시 지나야 해. 모든 방을 한 번씩 지나 5번 방으로 돌아올 수는 없지.

🌱 보기 와 같이 1번 방에서 시작해서 같은 방을 2번 지나지 않고 모든 방을 한 번씩 지나려고 합니다. 출발하는 방으로 선택할 수 없는 방에 모두 X표 하시오.

보기

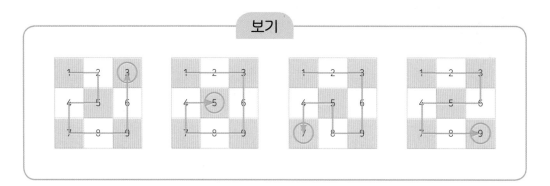

1	2	3
4	5	6
7	8	9

🌱 보기와 같이 1번 방에서 출발하여 모든 방을 한 번씩 지나려고 합니다. 마지막에 도착할 수 있는 방에 모두 ○표 하시오.

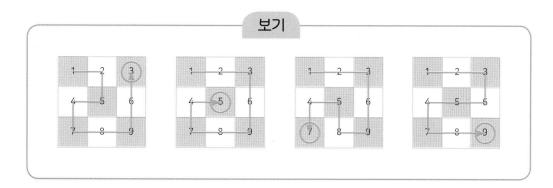

(1)

1	2	3	4
12	5	6	7
11	10	9	8

(2)

1	2	3	4
8	7	6	5
9	10	11	12
16	15	14	13

1 경로 찾기

탐구 유형 1-1 로봇청소기가 가는 길

보기 의 규칙대로 로봇 청소기가 움직입니다. 출발 지점에서 도착 지점으로 가는 길을 그리시오.

보기

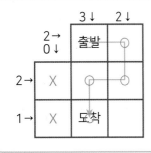

① 그림 위와 왼쪽에 적힌 수는 로봇 청소기가 지나는 칸의 개수입니다.
② 한 번 지나는 칸은 다시 지나지 않습니다.

(1)

	1↓	4↓	2↓	3↓	4↓
4→	출발				
3→					
4→					
3→					도착

(2)

3→
0↓

	3↓	3↓	4↓		
	출발			2↓	
2→					
4→					
3→			도착		

(3)

5→
2↓

	3↓	4↓	5↓	3↓	3↓
	출발				
5→					
6→					
2→					
	2→			도착	

(4)

4→
2↓

	4↓	4↓	3↓	4↓	
	출발				3↓
2→					
4→					
6→					
4→				도착	

Point 위, 옆의 수를 보고 지나갈 수 없는 칸에 X표, 지나가야 하는 칸에 ○표 합니다.

01 한 번 지난 칸은 다시 지나지 않게 ○에서 △로 가는 길을 그리시오. 단, 표의 위와 옆의 수는 가는 길에 지난 칸의 개수입니다.

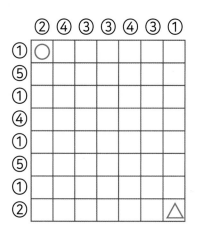

02 보기의 규칙대로 로봇 청소기가 움직여 서로 다른 ○로 도착합니다. 로봇 청소기가 움직이는 길을 그리시오.

보기

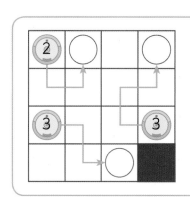

① 청소기 위의 수 만큼 방향을 바꿉니다.
② 청소기가 지나가는 길은 겹치지 않습니다.
③ 검은색 칸은 지나갈 수 없습니다.

(1)

(2)

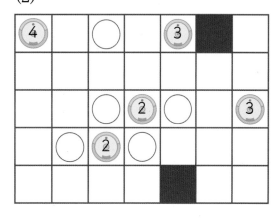

탐구 유형 1-2   파이프 연결

보기와 같은 규칙으로 파이프 사이에 파이프를 놓아 모든 파이프를 연결합니다.

보기

① 모든 파이프의 끝과 끝을 연결합니다.
② 두 종류의 파이프만 사용할 수 있습니다.
③ 파이프는 뒤집거나 돌려서 사용할 수 있습니다.

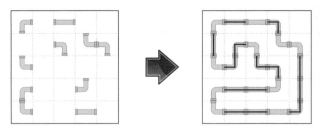

두 종류의 파이프 조각을 빈 곳에 그려 파이프를 연결하시오.

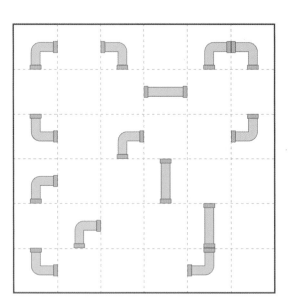

Point   모서리에 있는 파이프와 이웃한 칸에 파이프를 어떤 모양으로 그려야 할지 먼저 생각합니다.

01 같은 규칙으로 두 종류의 파이프를 사용하여 파이프를 연결하시오.

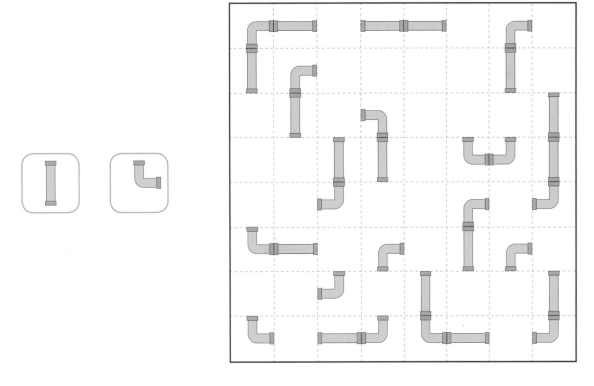

02 모든 점을 한 번씩 지나 처음 위치로 돌아가도록 길을 완성하시오. 단, 가로나 세로로 이웃한 점으로만 길을 이을 수 있습니다.

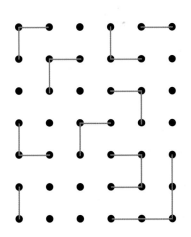

탐구주제

2 채우기와 나누기

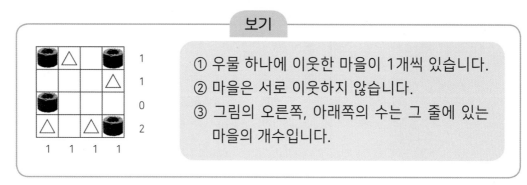

●모양에 우물이, △표 한 곳에 마을이 있습니다. 보기 의 규칙대로 마을의 위치를 찾아봅시다. 단, 이웃한 곳은 가로, 세로 방향으로 붙어있는 곳을 의미합니다.

보기

① 우물 하나에 이웃한 마을이 1개씩 있습니다.
② 마을은 서로 이웃하지 않습니다.
③ 그림의 오른쪽, 아래쪽의 수는 그 줄에 있는 마을의 개수입니다.

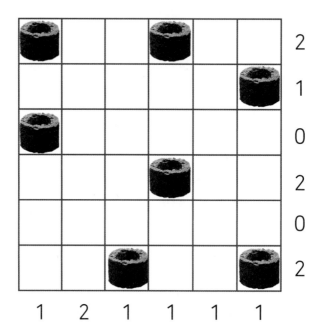

우물과 이웃하지 않은 칸, 마을의 개수가 0인 줄의 칸에 X표 하시오.

마을이 있는 곳에 모두 △표 하시오.

위치 찾기 문제에서 찾는 것이 있을 수 없는 곳, 있어야만 하는 곳을 표시하면 더 빠르게 찾을 수 있어!

💡 우물과 마을이 왼쪽과 똑같은 규칙으로 있습니다. 마을이 있는 곳에 모두 △표 하시오.

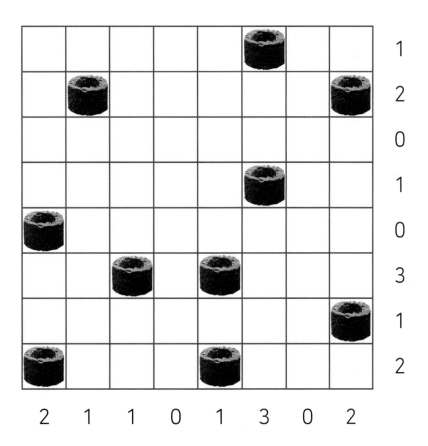

2 채우기와 나누기

탐구 유형 2-1   **수 채워 넣기 퍼즐**

수 채워 넣기

빈칸 안에 1에서 8까지의 수를 한 번씩 써넣으려고 합니다. 가로, 세로, 대각선 방향으로 이웃하는 두 수가 오지 않도록 수를 써넣으시오. 단, 이웃하는 수는 두 수의 차가 1인 수를 의미합니다.

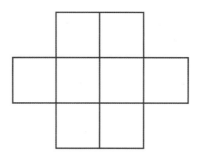

Point 이웃하는 수가 1개밖에 없는 수는 어디에 써넣어야 할지 먼저 생각합니다.

(1) 가로, 세로, 대각선 방향으로 이웃하는 칸이 가장 많은 칸에 모두 ○표 하시오.

(2) 이웃하는 수가 적은 1과 8을 ○표 한 칸에 써넣으시오.

(3) 나머지 수를 알맞은 위치에 써넣으시오.

연습

01 가로, 세로, 대각선 방향으로 이웃하는 두 수가 오지 않도록 칸 안에 0에서 9까지의 수를 써넣으시오. 단, 이웃하는 수는 차가 1인 수를 의미합니다.

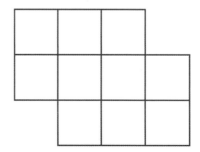

02 □ 안에 1에서 6까지의 수를 한 번씩 써넣으려고 합니다. 가로, 세로, 대각선 방향으로 이웃하는 두 수가 오지 않도록 써넣을 수 있는 것에 ○표 하시오. 단, 이웃하는 수는 차가 1인 수를 의미합니다.

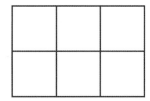

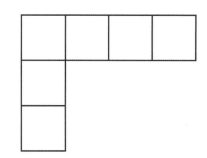

03 보기 의 규칙대로 1에서 4까지의 수를 알맞게 써넣으시오.

보기

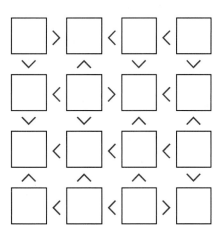

① 같은 줄에는 서로 다른 수가 하나씩 들어갑니다.
② 부등호의 방향에 맞게 수를 써넣습니다.

② 채우기와 나누기

탐구 유형 2-2   **기호 써넣기**

보기 의 규칙대로 ㉠부터 ㉣까지 기호를 표의 빈칸에 알맞게 써넣으시오.

보기

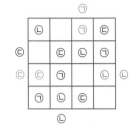

① 한 줄에 있는 기호는 서로 다릅니다.
② 모서리 바깥의 기호들은 각각 그 줄의 가장 왼쪽,
   오른쪽, 위쪽, 아래쪽에 있는 기호와 같습니다.

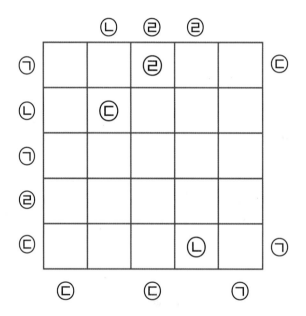

> **Point** 아랫줄에서 ㉢의 위치를 먼저 찾습니다.

(1) 가장 아랫줄에 기호를 써넣으시오.

(2) 빈칸에 ㉠부터 ㉣까지 알맞게 써넣으시오.

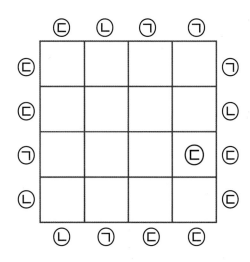

01 보기 의 규칙대로 ㉠부터 ㉢까지 기호를 표의 빈칸에 알맞게 써넣으시오.

보기

① 한 줄에 있는 기호는 서로 다릅니다.
② 모서리 바깥의 기호들은 각각 그 줄의 가장 왼쪽, 오른쪽, 위쪽, 아래쪽에 있는 기호와 같습니다.

02 오른쪽과 같이 회색 □와 이웃한 흰색 □에는 같은 수가 들어갑니다. 굵은 선 안의 표에서 같은 줄에 1부터 5까지 서로 다른 수가 들어가도록 수를 써넣으시오.

	1	2	3	
1	1	2	3	3
2	2	3	1	1
3	3	1	2	2
	3	1	2	

② 채우기와 나누기

보기 의 규칙대로 표를 나누는 선을 그리시오.

보기

2			3
		4	
6			1

① 모든 조각은 사각형 모양입니다.
② 조각 안의 수는 작은 □의 개수를 나타냅니다.
③ 조각 하나에는 수가 하나씩 있습니다.

(1)

	5			
		3		
4		4	4	4
		6		
			4	2

(2)

		3			
		2	4		
			2		8
4		4		4	
		6			
			5	2	
			8		6	
				4		2

Point 큰 조각을 먼저 그립니다.

(1) 선을 따라 6 또는 8을 포함하는 조각의 둘레를 그리시오.

(2) 규칙대로 나누는 선을 알맞게 그리시오.

01 보기 의 규칙대로 표를 나누는 선을 그리시오.

보기

4		3
3		3
	2	4
3	4	

① 조각 안의 수는 작은 □의 개수를 나타냅니다.
② 모든 조각 안에는 수가 적어도 한 개 있습니다.

(1)

			5	4
5	1	3		
8	3		4	
	2		8	2
				8

(2)

3				5
5	3	1		
		6		5
		5		6
			1	4

(3)

2		7		
	4	1		
	1	2	5	
	3			7
				5

(4)

		5		3
	3	1	3	
5		3	5	2
		2		
		4		5

01 한 번 지난 칸은 다시 지나지 않도록 △표 한 칸에서 다시 △표 한 칸으로 돌아오는 길을 그리시오. 단, 표 위와 옆의 수는 가는 길에 지난 칸의 개수입니다.

모든 칸을 지나가는 줄을 찾습니다.

⑤ ② ③ ② ④ ④ ②

⑦ △
④
③
⑤
③

02 빨간색 부등호 중에 잘못된 것 하나를 고치면 보기 의 규칙대로 1에서 5까지의 수를 써넣을 수 있습니다. 잘못된 부등호에 ○표 하시오.

전체 퍼즐을 해결할 때는 이웃한 칸보다 모두 큰 칸을 5, 모두 작은 칸을 1로 생각합니다.

보기

① 같은 줄에는 서로 다른 수가 하나씩 들어갑니다.
② 부등호의 방향에 맞게 수를 써넣습니다.

□ < □ < □ > □ > □
^   v   ^   v   ^
□ > □ < □ > □ < □
v   ^   v   ^
□ < □ > □ > □ < □
^   ^   v   ^
□ < □ > □ < □ < □
v   v   ^   ^
□ > □ > □ > □ > □

접는 선

03 각 표에서 빨간색 칸과 파란색 칸의 수 중 하나를 지우면 보기 의 규칙대로 표를 여러 조각으로 나눌 수 있습니다.

두 개의 칸 중 하나를 틀렸다고 가정하고 조각을 나눌 수 있는지 확인합니다.

보기

① 조각 안의 수는 작은 □의 개수를 나타냅니다.
② 모든 조각 안에는 수가 적어도 한 개 있습니다.

지워야 하는 수에 X 표 하고 표를 나누는 선을 알맞게 그리시오.

	3		1	4	
	6	3		3	
1	5		2		4
5		6	4	3	1
	4			1	
5	5	3		3	2

TOP 사고력 수학

3. 펜토미노 퍼즐

펜토미노 퍼즐 만들기

펜토미노 중 하나를 빨간선을 따라 잘라서 2조각으로 만들었습니다.

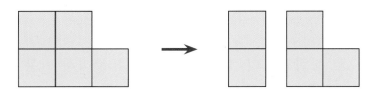

나누어진 조각을 붙여서 만들 수 있는 모양에 모두 ○표 하시오.

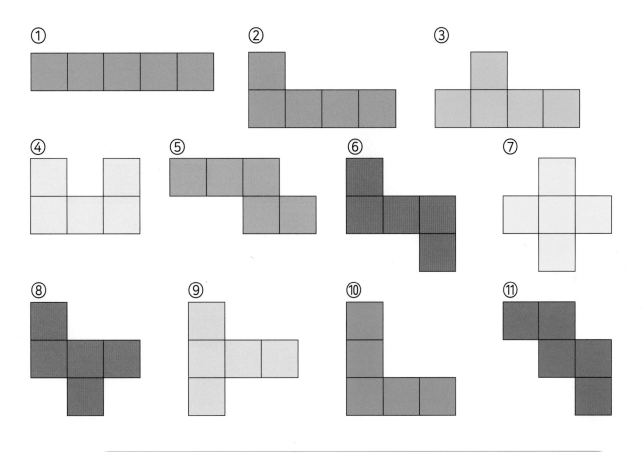

① ② ③ ④ ⑤ ⑥ ⑦ ⑧ ⑨ ⑩ ⑪

정사각형 5개를 붙인 것을 펜토미노라고 해. 정사각형을 붙인 개수에 따라 다음과 같이 구분하지.

모노미노　　도미노　　트로미노　　테트로미노　　폴리오미노

 펜토미노 중 하나를 잘라서 다른 모양의 펜토미노를 만들 수도 있어.

펜토미노를 이용한 여러 가지 퍼즐을 알아보고 스스로 나만의 퍼즐도 만들어 봐!

☙ 펜토미노를 2조각으로 잘랐습니다. 나누어진 조각을 붙여서 만들 수 있는 모양에 모두 ○표 하시오.

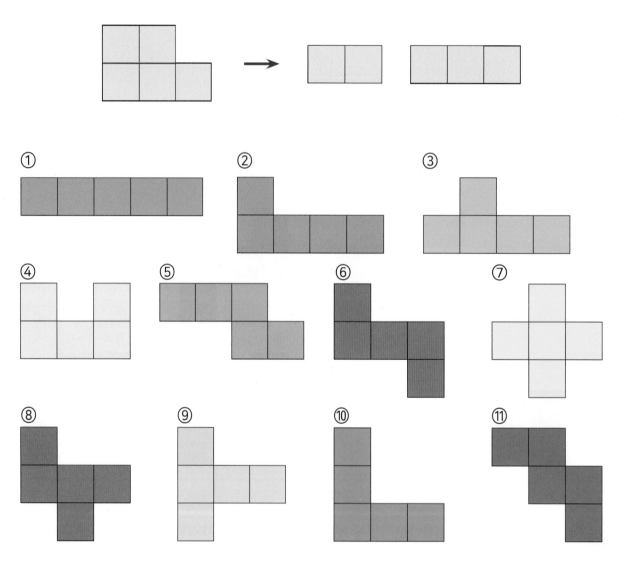

점을 이어 자른 퍼즐

탐구 유형 1-1 **변신 펜토미노1**

준비물 - 활동 자료 1

그림과 같이 펜토미노를 잘라 5조각의 퍼즐을 만들었습니다.

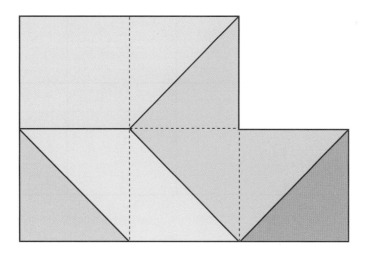

5조각의 퍼즐을 사용하여 다른 모양의 펜토미노를 만들고 선을 그리시오. 단, 조각을 돌리거나 뒤집어서 사용할 수 있습니다.

• Point ▶ 주황색 퍼즐을 어디에 놓을지 먼저 생각합니다.

탐습
01

연습 02

연습 03

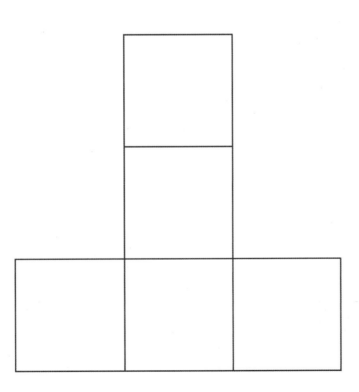

탐구 유형 1-2　　재미있는 모양 만들기1

준비물 - 활동 자료 1

탐구 유형 1-1의 퍼즐을 붙여서 여러 가지 모양을 만들고, 선을 그리시오. 단, 조각을 돌리거나 뒤집어서 사용할 수 있습니다.

• Point▶ 주황색 퍼즐을 어디에 놓을지 먼저 생각합니다.

연습 01

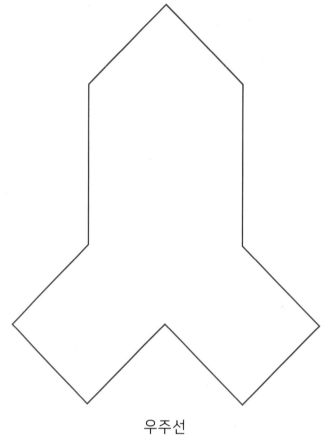

우주선

연습 02

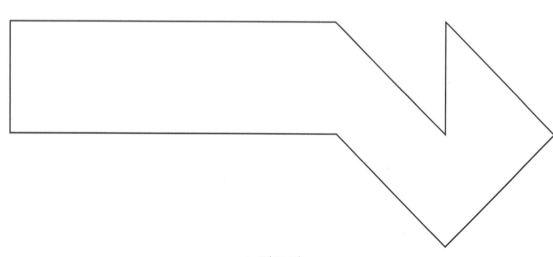

갈고리

03

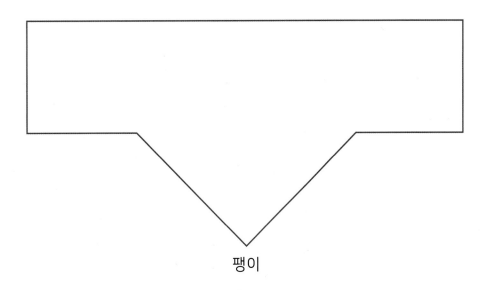

팽이

04

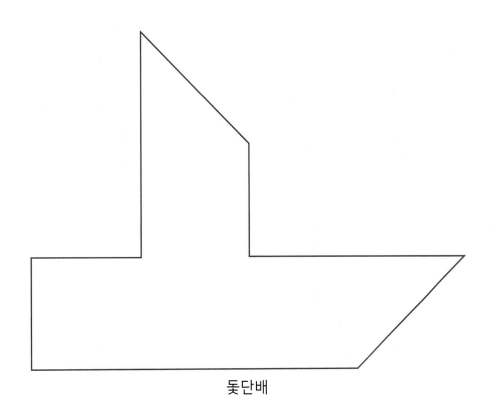

돛단배

② 변의 중심을 자른 퍼즐

탐구 유형 2-1   **변신 펜토미노2**   준비물 - 활동 자료 2

그림과 같이 펜토미노를 잘라 5조각의 퍼즐을 만들었습니다.

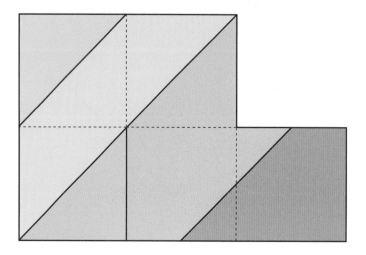

5조각의 퍼즐을 사용하여 다른 모양의 펜토미노를 만들고, 선을 그리시오. 단, 조각을 돌리거나 뒤집어서 사용할 수 있습니다.

● Point ▶ 보라색 퍼즐을 어디에 놓을지 먼저 생각합니다.

연습 01

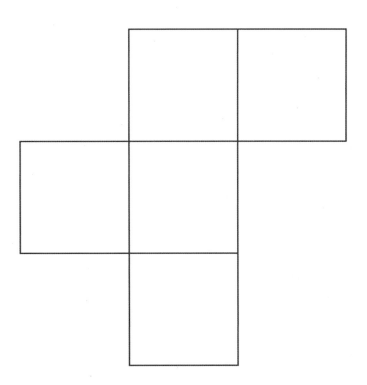

펜토미노를 만들 때 보라색과 회색 퍼즐은 반드시 서로 붙여야 해. 두 퍼즐을 붙이지 않으면 아래 그림에서 굵은 선과 같이 정사각형의 한 변을 똑같이 만들 수 없어.

두 퍼즐이 붙어 있어야 하기 때문에 펜토미노는 3가지만 만들 수 있어! 물론 팬토미노를 뒤집거나 돌린 것은 같은 모양으로 봐야 해.

탐구 유형 2-2   **재미있는 모양 만들기2**   준비물 - 활동 자료 2

탐구 유형 2-1 의 퍼즐을 붙여서 여러 가지 모양을 만들고, 선을 그리시오. 단, 조각을 돌리거나 뒤집어서 사용할 수 있습니다.

• Point 보라색 퍼즐을 어디에 놓을지 먼저 생각합니다.

 연습 01

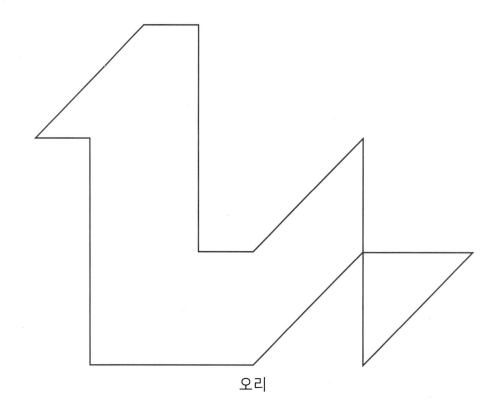

오리

연습 02

사각형

03

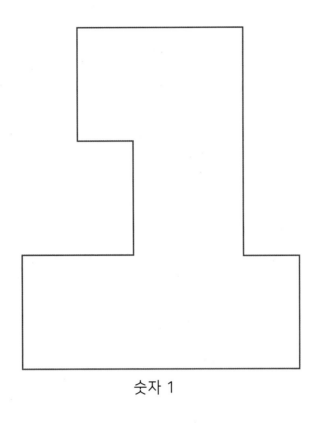

숫자 1

04

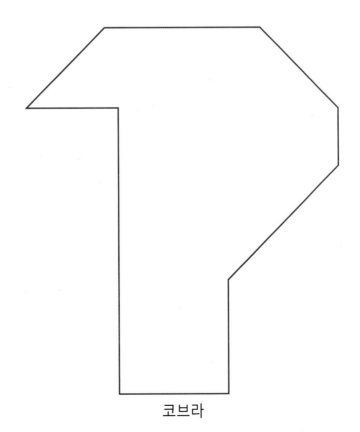

코브라

 05

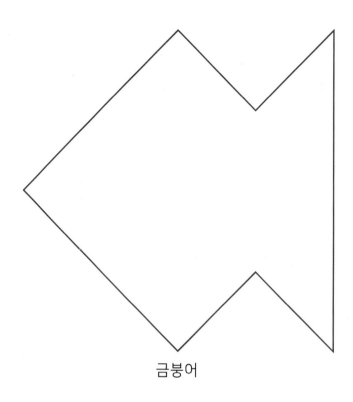

금붕어

 06

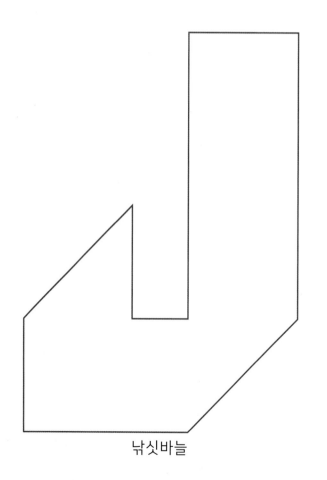

낚싯바늘

3 탑디스 퍼즐

다음은 12가지의 펜토미노입니다.

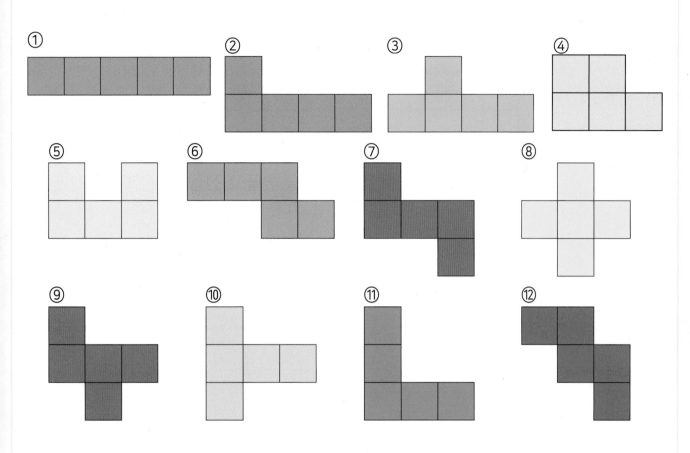

💡 서로 다른 펜토미노를 한 쌍씩 사용하여 다음 모양을 만드시오.

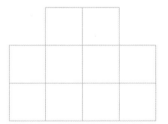 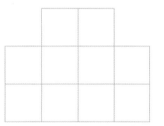

 똑같은 개수의 서로 다른 펜토미노로 똑같은 모양을 만드는 게임을 탑디스 퍼즐 이라고 해. 여기에서는 어떤 모양을 만들지 주어졌지만 다음 장에선 어떤 모양을 만들지도 생각해서 탑디스 퍼즐을 해보자!

| 탐구 유형 3-1 | 다른 조각 같은 모양 | 준비물 - 활동 자료 3 |

같은 모양을 서로 다른 2쌍의 펜토미노로 만들 수 있습니다.

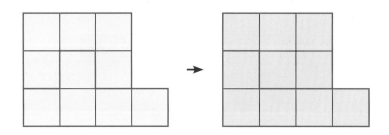

주어진 펜토미노를 색깔별로 붙여서 같은 모양을 만들고 선을 따라 그리시오. 단, 펜토미노를 돌리거나 뒤집어서 사용할 수 있습니다.

• Point ▶ 한 쌍으로 여러 가지 모양을 만들고, 그중 다른 한 쌍으로 만들 수 있는 것을 찾습니다.

연습 01

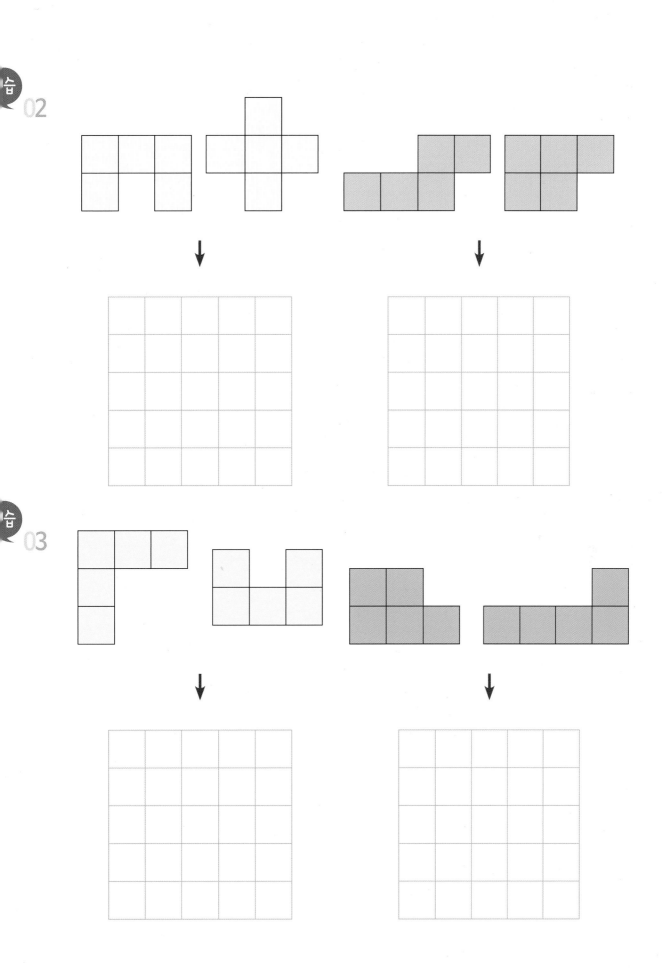

TOP 사고력

준비물 - 활동 자료 4

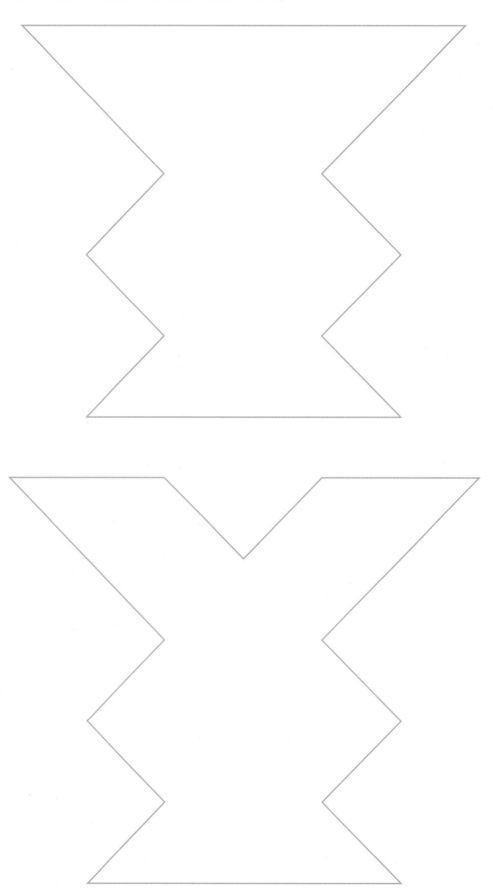

01 칠교 퍼즐로 다음 모양들을 만들고 선을 그리시오.

큰 삼각형 두 개가 들어가는 위치를 먼저 찾습니다.

접는 선

02 왼쪽의 사각형을 가능한 적게 잘라 붙여 오른쪽 모양을 만들 수 있습니다. 왼쪽 사각형에는 자르는 선을, 오른쪽 사각형에는 붙이는 선을 그리시오.

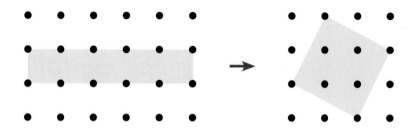

오른쪽 사각형 위에 왼쪽 사각형의 모양을 그림과 같이 선을 그려서 관찰해 봅니다.

TOP of TOP

03 똑같은 모양의 퍼즐 4개로 정사각형을 만들 수도 있고 구멍이 두 개 뚫린 사각형 모양도 만들 수 있습니다.

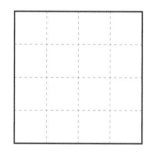
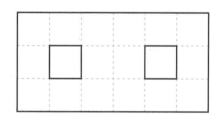

오른쪽 모양을 만들 수 있는 퍼즐을 구해보고 왼쪽 모양에 맞출 수 있는지 확인합니다.

퍼즐 조각은 작은 사각형 4개가 붙어있는 모양입니다.

점선을 따라 두 모양을 만든 퍼즐 하나를 그리시오.

TOP 사고력 수학

4. 도형 움직이기

15번 뒤집기, 15번 돌리기

앞뒤로 △와 ○가 그려진 카드가 있습니다.

앞면   뒷면

앞면이 보이게 놓인 카드를 오른쪽으로 15번 뒤집었을 때의 결과와 만큼 15번 돌렸을 때의 결과를 알아보려고 합니다.

카드를 연속해서 뒤집은 모양을 각각 그리시오.

오른쪽으로   오른쪽으로   오른쪽으로   오른쪽으로
뒤집기   뒤집기   뒤집기   뒤집기

카드를 연속해서 돌린 모양을 각각 그리시오.

반의 반 바퀴   반의 반 바퀴   반의 반 바퀴   반의 반 바퀴
돌리기   돌리기   돌리기   돌리기

카드를 오른쪽으로 15번 뒤집었을 때와 만큼 15번 돌렸을 때의 모양을 그리시오.

15번 뒤집은 결과   15번 돌린 결과

직접 그리는 것보다 규칙을 이용하는게 더 간단해.

뒤집기는 2개씩 같은 모양이 반복돼.
○, △, ○, △, ○, △, …
홀수 번 뒤집으면 ○, 짝수 번 뒤집으면 △가 되는 거야.

돌리기는 4개씩 같은 모양이 반복돼.
▷, ▽, ◁, △, ▷, ▽, ◁, △, …
따라서 4의 배수보다 1번 더 돌리면 ▷,
　　　　　　　　　　2번 더 돌리면 ▽,
　　　　　　　　　　3번 더 돌리면 ◁,
4의 배수만큼 돌리면 처음과 같은 모양인 △ 모양이 나오게 돼.

돌린 횟수에서 4를 더 이상 뺄 수 없을 때까지 빼고 남은 수를 이용하면 편해!

앞면이 보이는 카드를 오른쪽으로 19번 뒤집었을 때와 만큼 19번 돌렸을 때의 모양을 그리시오.

(1)

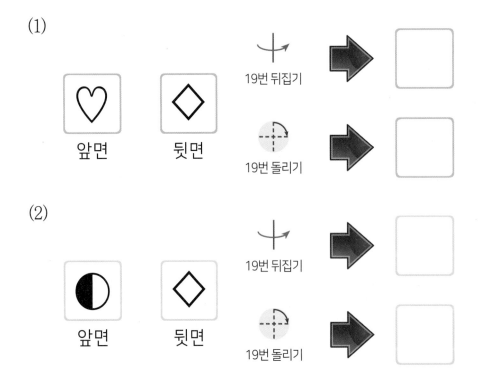

(2)

1 뒤집기

오른쪽과 같이 색칠된 투명 종이가 있습니다.

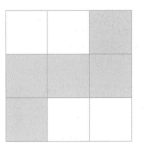

위로 16번 뒤집은 모양과 오른쪽으로 15번 뒤집은 모양이 되도록 빈칸을 알맞게 색칠하시오.

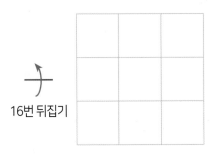

16번 뒤집기

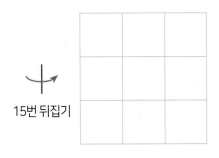

15번 뒤집기

Point 홀수 번 뒤집으면 한 번 뒤집은 모양과 같고 짝수 번 뒤집으면 처음의 모양과 같습니다.

01 투명 종이를 아래로 13번 뒤집은 모양과 왼쪽으로 18번 뒤집은 모양을 그리시오.

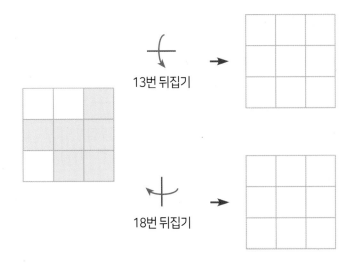

13번 뒤집기

18번 뒤집기

02 투명 종이를 아래에 적힌 횟수만큼 뒤집고 아래의 투명 종이와 겹칩니다. 이때 빨간 색 점과 겹치는 점이 있는 투명종이에 모두 ◯표 하시오.

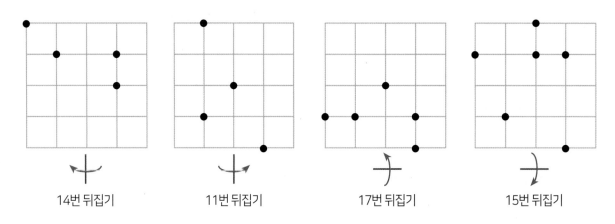

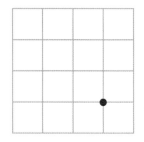

03 투명 종이를 주어진 만큼 뒤집은 모양을 오른쪽에 그리시오.

(1)

14번 뒤집기 → 13번 뒤집기 →

(2)

11번 뒤집기 → 18번 뒤집기 →

돌리기

처음 모양을 시계 방향과 시계 반대 방향으로 돌린 모양을 비교합니다.

만큼 연속해서 돌린 모양을 각각 그리시오.

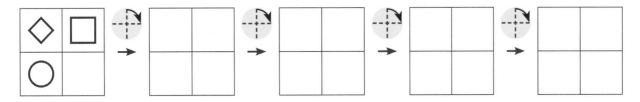

만큼 연속해서 돌린 모양을 각각 그리시오.

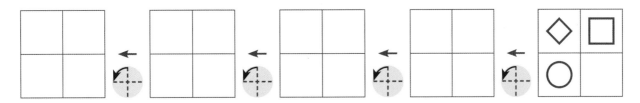

시계 방향으로 돌린 모양과 시계 반대 방향으로 돌린 모양 중 같은 모양이 있는지 비교하시오.

처음 모양을 시계 방향, 시계 반대 방향으로 돌린 모양을 비교해 보니 같은 모양을 찾을 수 있지? 아래와 같이 정리할 수 있어. 위, 아래의 돌리기가 서로 같은 방법이야.

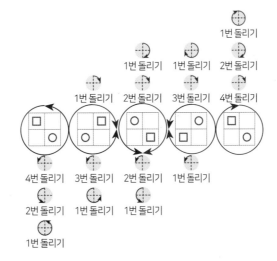

만큼 1번 돌린 것은 만큼 1번 돌린 것과 같고 만큼 1번 돌린 것은 만큼 1번 돌린 것과 같아. 복잡한 돌리기를 더 간단하게 바꿀 수 있지!

2 돌리기

탐구 유형 2-1   돌린 모양

초록색 모양을 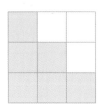 만큼 몇 번 돌려 오른쪽 모양과 겹치니 오른쪽 모양의 빈 공간이 채워집니다. 돌린 횟수를 구하시오. 단, 돌린 횟수는 4번을 넘지 않습니다.

Point 돌린 모양을 순서대로 그려 빈 공간이 채워지는 것을 찾습니다.

(1) 초록색 모양을 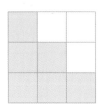 만큼 연속해서 돌린 모양을 그리시오.

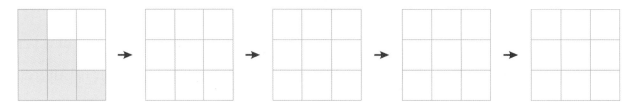

(2) 초록색 모양을 4번 넘지 않게 돌릴 때, 몇 번 돌려야 오른쪽 모양의 빈 공간에 채워지는지 구하시오.

연습

01 각 모양을 주어진 만큼 1번 돌려 아래에 그리시오.

(1)   (2)   (3)   (4)

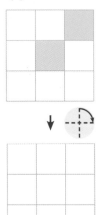   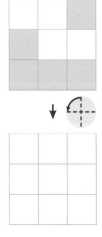   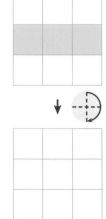   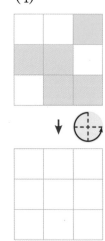

02 수 배열표에 수를 1부터 순서대로 16개 써넣었습니다. 수 배열표를 아래와 같이 1번 돌렸을 때 빨간색 □에 들어가는 수를 써넣으시오.

1	2	3	4
5	6	7	8
9	10	11	12
13	14	15	16

(1)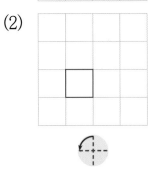

(2)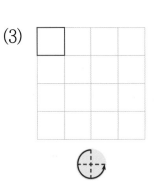

(3)

03 아래 모양은 위의 모양을 방향으로 몇 번 돌린 것입니다. 돌린 횟수를 구하시오. 단, 돌린 횟수는 4번을 넘지 않습니다.

(1)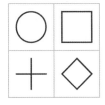

(2)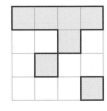

(3)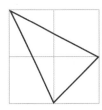

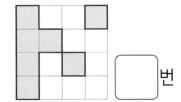 번

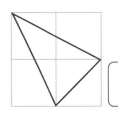 번

번

탐구주제

② 돌리기

돌리기를
간단하게

탐구 유형 2-2   돌리기를 간단하게

두 가지 돌리기를 모두 했을 때와 결과가 같은 돌리기 방법을 오른쪽에서 골라 □ 안에 기호를 써넣으시오.

①

3번 돌리기 2번 돌리기

②

2번 돌리기 2번 돌리기

③

1빈 돌리기 3번 돌리기

④

3빈 돌리기 2번 돌리기

> **Point** 하나의 방법으로 주어진 횟수만큼 돌렸을 때 어떤 방법과 같은지 먼저 구합니다.

(1) 각각의 돌리기와 결과가 같은 돌리기 방법의 기호를 □ 안에 써넣으시오.

① 3번 돌리기 – ㉠   2번 돌리기 –

② 2번 돌리기 –   2번 돌리기 – ㉢

③ 1번 돌리기 –   3번 돌리기 –

 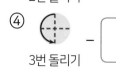 

④ 3번 돌리기 –   2번 돌리기 –

(2) ①번에서 ④번까지 돌리는 방법과 같은 모양이 나오는 방법의 기호를 □ 안에 써넣으시오.

연습

01 두 가지 돌리기를 모두 했을 때와 결과가 같은 돌리기 방법을 오른쪽에서 골라 □ 안에 기호를 써넣으시오.

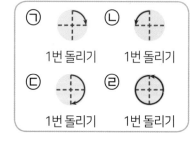

①

3번 돌리기 1번 돌리기

②

2번 돌리기 3번 돌리기

③

3번 돌리기 1번 돌리기

④

3번 돌리기 2번 돌리기

처음 모양을 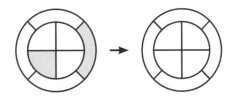 만큼 21번 돌린 후 만큼 18번 돌린 모양이 되도록 오른쪽 모양을 그리시오.

> **Point** 돌리기를 간단하게 만들어 봅니다.

(1) 만큼 21번 돌린 것과 같은 모양이 나오는 방법에 ○표, 만큼 18번 돌린 것과 같은 모양이 나오는 방법에 △표 하시오.

ㄱ
1번 돌리기

ㄴ
1번 돌리기

ㄷ
1번 돌리기

ㄹ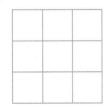
1번 돌리기

(2) 만큼 21번 돌린 후 만큼 18번 돌린 모양을 그리시오.

01 왼쪽의 모양을 돌린 모양을 그리시오.

(1)
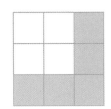
15번 돌리기   6번 돌리기 →

(2)
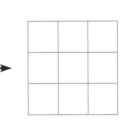
11번 돌리기   23번 돌리기 →

연습
02 왼쪽의 모양을 돌린 모양을 그리시오.

(1)

(2)

연습
03 두 장의 투명 종이를 돌리고 겹친 모양을 그리시오.

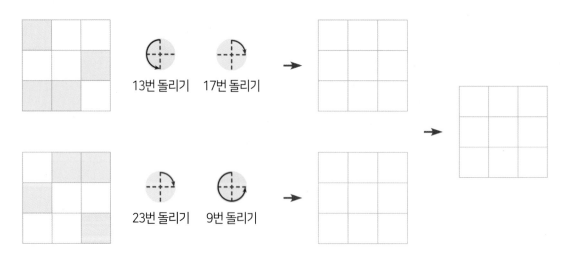

돌린 방향과 횟수, 돌린 후의 모양을 알면 처음 모양을 알 수 있습니다. 돌린 후의 모양을 보고 처음 모양을 생각해 봅니다.

처음 모양을 아래와 같이 돌리고 뒤집은 모양을 그리시오.

①

9번 돌리기

②

13번 뒤집기

돌리고 뒤집은 모양을 보고 처음 모양을 그리시오.

①

9번 돌리기

②

13번 뒤집기

돌리거나 뒤집은 횟수만큼 반대 방향으로 돌리거나 뒤집으면 처음의 모양이 나와. 예를 들어 만큼 7번 돌리고 만큼으로 7번 돌리면 처음의 모양이 나오지.

처음 모양   7번 돌리기   돌린 모양   7번 돌리기   처음 모양

따라서 돌리거나 뒤집은 횟수만큼 반대 방향으로 돌리거나 뒤집으면 처음의 모양을 알 수 있어!

뒤집기 돌리기

탐구 유형 3-1 뒤집고 돌리기

처음 모양을  만큼 33번 돌린 다음 오른쪽으로 21번 뒤집은 모양을 그리시오.

Point 돌린 모양을 먼저 구하고 뒤집은 모양을 구합니다.

(1) 처음 모양을  만큼 33번 돌린 모양을 그리시오.

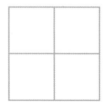

(2) 처음 모양을 뒤집고 돌린 모양을 그리시오.

연습

01 점판 위에 그린 모양을 돌리고 뒤집은 모양을 그리시오.

(1)

(2)

02 도형을 위쪽으로 7번 뒤집고 만큼 14번 돌렸을 때 처음 모양이 나오는 것에 모두 ○표 하시오.

①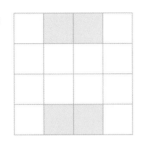

②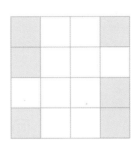

③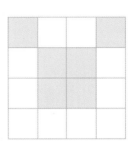

03 디지털 숫자로 만든 수를 위쪽으로 5번 뒤집고 만큼 6번 돌렸을 때 가장 큰 수가 되는 수에 ○표, 가장 작은 수가 되는 수에 □표 하시오.

3가지 모양 중 하나를 위쪽으로 15번 뒤집은 다음 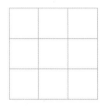 만큼 27번 돌리니 오른쪽 모양이 나옵니다. ㉠, ㉡, ㉢ 중 처음 모양을 찾아 ○표 하시오.

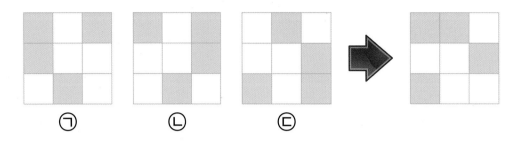

Point 오른쪽의 모양을 반대 방향으로 돌리면 나오는 모양을 먼저 그립니다.

(1) 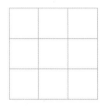 만큼 27번 돌리기 전의 모양을 그리시오.

(2) 처음 모양을 찾아 ○표 하시오.

연습

01 어떤 모양을 만큼 7번 돌린 모양이 아래와 같습니다. 처음 모양을 그리시오.

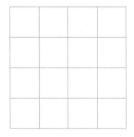 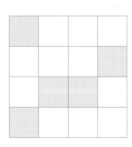

02 다음과 같이 돌리고 뒤집었을 때 처음 모양을 구하시오.

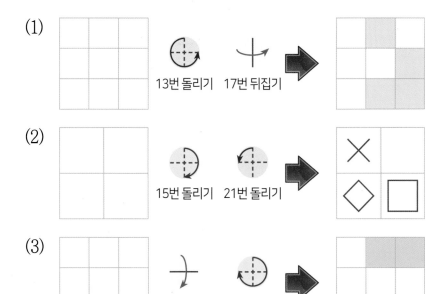

03 모양을 오른쪽으로 이동하면 오른쪽으로 한 번 뒤집고 아래로 이동하면 ⊕ 만큼 한 번 돌리고, 위로 이동하면 ⊖ 만큼 한 번 돌립니다. 왼쪽 위에서 출발하여 끝에 도착한 모양을 보고, 출발할 때의 모양을 그리시오.

(1)
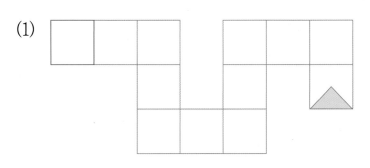

(2)
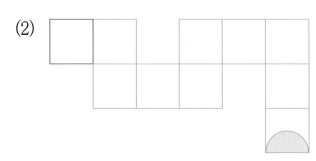

01 다음과 같이 투명 종이를 반으로 3번 접었습니다.

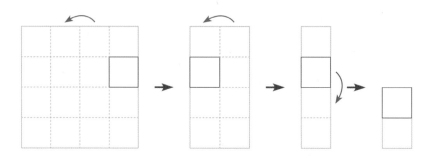

빨간색 □ 안에 다음 디지털 수를 써넣었다면 3번 접은 종이에서 어떻게 보일지 그리시오.

(1)   (2)

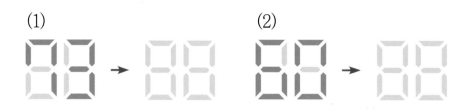

> 가로로 접으면 수가 가로 방향으로 뒤집어지고 세로로 접으면 수가 세로 방향으로 뒤집어집니다.

02 어떤 모양을 ⟳ 만큼 연속해서 돌리고 일부를 가렸습니다.

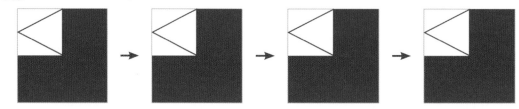

처음 모양을 그리시오.

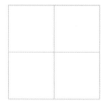

> 한 번 돌린 후에 모양의 일부가 어느 칸에 어떤 모양으로 보일지 생각합니다.

접는 선

03 일정한 규칙으로 모양을 돌렸습니다.

오른쪽 그림은 위와 같은 규칙으로 20번 돌린 모양입니다. 처음 모양을 그리시오.

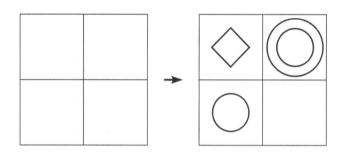

짝수 번째 모양은 전 모양을 ⊕ 만큼 돌린 것이고 홀수 번째 모양은 전 모양을 ⊕ 만큼 돌린 것입니다.

TOP of TOP

04 어떤 모양을 돌리고 뒤집으니 오른쪽의 모양이 나옵니다. 처음 모양을 구하시오.

13번 뒤집기 23번 돌리기

돌리거나 뒤집을 때 삼각형이 육각형의 어느 변에 붙어있는지 생각합니다.

⊕ 만큼 한 번 돌릴때마다 육각형 부분의 모양이 변하지만 뒤집으면 육각형 부분의 모양이 변하지 않습니다.

접는선

4. 도형 움직이기 **79**

TOP
사고력 쑥쑥

학습주제를 시작할 때 학습 날짜를 기록하면서 전체 학습 진도 상황을 체크해 보세요.

B3	단원	학습 주제	학습 날짜	
논리	1. 논리 추론	1-1. 짝짓기	월/	일
		1-2. 참과 거짓	월/	일
		1-3. 야구게임	월/	일
	2. 경로와 위치	2-1. 경로 찾기	월/	일
		2-2. 채우기와 나누기	월/	일
평면	3. 펜토미노 퍼즐	3-1. 점을 이어 자른 퍼즐	월/	일
		3-2. 변의 중심을 자른 퍼즐	월/	일
		3-3. 탑디스 퍼즐	월/	일
	4. 도형 움직이기	4-1. 뒤집기	월/	일
		4-2. 돌리기	월/	일
		4-2. 뒤집기 돌리기	월/	일

1-1. 짝짓기 | 01~08

01 세 자리 수 하나를 생각하고 같은 숫자 카드로 만든 다른 세 자리 수와 비교했습니다. 생각한 세 자리 수를 구하시오.

> ❗ **유형 1-1**
> 숫자 6의 위치는 백의 자리도, 십의 자리도 아닙니다. 같은 방법으로 다른 숫자의 위치도 찾습니다.

| 6 | 4 | 9 | → 각 자리에 있는 숫자가 모두 다릅니다.

| 9 | 6 | 4 | → 각 자리에 있는 숫자가 모두 다릅니다.

02 주은, 동호, 재민, 영희가 한 줄로 서 있습니다. 다음 설명을 보고 가장 왼쪽부터 서 있는 사람을 순서대로 써넣으시오.

> ❗ **유형 1-1**
> 첫 번째 자리에 서 있는 사람은 영희도 아니고 동호도 아니고 재민이도 아닙니다. 같은 방법으로 다른 자리에 서 있는 사람도 구합니다.

영희 주은 동호 재민 → 자기 자리에 있는 사람이 없습니다.

동호 재민 영희 주은 → 자기 자리에 있는 사람이 없습니다.

재민 영희 주은 동호 → 자기 자리에 있는 사람이 없습니다.

! 유형 1-1

첫 번째 설명과 두 번째 설명, 첫 번째 설명과 세 번째 설명을 비교합니다.

03 책꽂이에 3권의 책이 꽂혀있습니다. 어린왕자 책의 위치의 기호를 구하시오.

2권의 위치가 같습니다.

1권의 위치가 같습니다.

1권의 위치가 같습니다.

! 유형 1-2

친구들이 하는 말을 보고 순서대로 표를 채웁니다.

04 민규, 지민, 수진, 영수는 서로 다른 계절을 좋아합니다. 표를 채우고 민규가 좋아하는 계절을 쓰시오.

· 민규: 나는 여름이 가장 싫어.
· 지민: 눈 오는 계절이 가장 좋아.
· 수진: 영수가 좋아하는 계절은 여름, 가을 둘 다 아니야.

계절＼이름	민규	지민	수진	영수
봄				
여름				
가을				
겨울				

접는 선

05 현희, 다혜, 수형, 기훈이가 달리기를 합니다. 표를 완성하여 2등인 사람의 이름을 쓰시오.

05 현희, 다혜, 수형, 기훈이가 달리기를 합니다. 표를 완성하여 2등인 사람의 이름을 쓰시오.

유형 1-2
기훈이가 말한 조건을 먼저 사용합니다.

· 현희: 다혜 다음으로 도착했어.
· 수형: 1등 할 수 있었는데...
· 기훈: 내 앞에 2명이 있어.

등수 \ 이름	현희	다혜	수형	기훈
1등				
2등				
3등				
4등				

06 나리가 4가지 색의 색연필로 ⊕ 모양을 색칠했습니다. 다음을 보고 분홍색을 칠하는 칸의 번호를 구하시오.

유형 1-2
첫 번째 조건으로 초록색의 위치를 바로 알 수 있습니다.

· 초록색은 ②번에서 ↷ 만큼 한 번 돌린 위치에 칠했습니다.
· 노란색은 분홍색 위치에서 ↷ 만큼 한 번 돌린 위치에 칠했습니다.
· 보라색을 칠한 칸의 번호는 ④번입니다.

번호 \ 색깔	분홍색	보라색	노란색	초록색
①				
②				
③				
④				

접는 선

유형 1-3
①번, ②번 조건으로 첫 번째 표를 채우고 ③번, ④번 조건과 첫 번째 표로 두 번째 표를 채울 수 있습니다.

07 나연, 하은, 지수는 긴팔, 반팔, 원피스를 하나씩 입고 있습니다. 옷의 색은 흰색, 노란색, 초록색이고 서로 다른 색의 옷을 입고 있습니다. 다음을 보고 표를 완성하시오.

> ① 나연이는 원피스를 입지 않았습니다.
> ② 지수는 반팔을 입었습니다.
> ③ 나연이가 입은 옷의 색은 노란색입니다.
> ④ 원피스는 초록색이 아닙니다.

옷＼이름	나연	하은	지수
긴팔			
반팔			
원피스			

색깔＼이름	나연	하은	지수
흰색			
노란색			
초록색			

유형 1-3
①번, ②번 조건으로 첫 번째 표를 채우고 ③번, ④번 조건과 첫 번째 표로 두 번째 표를 채울 수 있습니다.

08 민현, 철호, 지연이의 생일이 있는 달은 5월, 8월, 12월 중 하나이고 서로 다릅니다. 세 명의 나이는 7살, 9살, 10살 중 하나인데 서로 다릅니다. 다음을 보고 민현이의 생일이 있는 달과 나이를 구하시오.

> ① 민현이의 생일이 있는 달은 4월과 10월 사이에 있습니다.
> ② 철호의 생일이 있는 달에는 어린이날이 있습니다.
> ③ 철호는 10살이 아닙니다.
> ④ 12월에 생일이 있는 친구가 가장 어립니다.

월＼이름	민현	철호	지연
5월			
8월			
12월			

나이＼이름	민현	철호	지연
7살			
9살			
10살			

접는 선

09 3명 중 2명은 거짓말을 하고 1명은 맞는 말을 합니다. 다음 대화를 보고 표를 채워서 아이스크림을 먹은 사람을 구하시오.

> 유경: 은지가 아이스크림을 먹었어.
> 다솜: 유경이는 아이스크림을 먹지 않았어.
> 은지: 내가 아이스크림을 먹었어.

유경이가 먹은 경우

유경	다솜	은지

다솜이가 먹은 경우

유경	다솜	은지

은지가 먹은 경우

유경	다솜	은지

! 유형 2-1
아이스크림을 먹은 친구가 누구인지 가정하고 거짓말을 한 사람에는 X표, 맞는 말을 한 사람에는 ○표 합니다.

10 3명 중 2명은 맞는 말을 하고 1명은 거짓말을 합니다. 다음 대화를 보고 표를 채워서 수학 100점 받은 친구를 구하시오. 단, 100점을 받은 친구는 한 명입니다.

> 민성: 이번 시험에서 수학은 1등을 했어.
> 윤제: 나는 수학을 100점 받았어.
> 영수: 민성이는 거짓말을 하고 있어.

민성이가 100점을 받은 경우

민성	윤제	영수

윤제가 100점을 받은 경우

민성	윤제	영수

영수가 100점을 받은 경우

민성	윤제	영수

! 유형 2-1
100점을 받은 친구가 누구인지 가정하고 거짓말을 한 사람에는 X표, 맞는 말을 한 사람에는 ○표 합니다.

! 유형 2-1

꽃을 산 친구가 누구인지 가정하여 표를 완성합니다.

11 4명 중 3명은 거짓말을 하고 1명은 맞는 말을 합니다. 다음 대화를 보고 표를 채워서 꽃을 산 친구를 구하시오.

· 승욱: 효상이가 꽃을 샀어.   · 명호: 지훈이는 꽃을 사지 않았어.
· 지훈: 내가 꽃을 샀어.   · 효상: 지훈이는 거짓말을 하고있어.

승욱이가 꽃을 산 경우

승욱	명호	지훈	효상

지훈이가 꽃을 산 경우

승욱	명호	지훈	효상

명호가 꽃을 산 경우

승욱	명호	지훈	효상

효상이가 꽃을 산 경우

승욱	명호	지훈	효상

! 유형 2-2

사슴이 3등인 경우와 양이 4등인 경우로 나누어 생각합니다.

12 말, 소, 양, 사슴이 달리기를 합니다. 혜림, 민정, 영은이가 경기 결과를 예상했는데 하나씩만 맞았습니다. 1등을 한 동물을 구하시오.

혜림: 사슴 3등, 양 4등
민정: 말 1등, 양 3등
영은: 소 1등, 사슴 2등

사슴이 3등인 경우

혜림: 사슴 3등, 양 4등
민정: 말 1등, 양 3등
영은: 소 1등, 사슴 2등

양이 4등인 경우

혜림: 사슴 3등, 양 4등
민정: 말 1등, 양 3등
영은: 소 1등, 사슴 2등

접는 선

13 냥이가 1에서 4까지의 숫자를 한 번씩 사용하여 네 자리 수를 만들었습니다. 민호, 깜이, 아름이가 다음과 같이 예상했는데 예상이 하나씩만 맞았습니다. 냥이가 만든 네 자리 수를 구하시오.

！ 유형 2-2

백의 자리 숫자가 4인 경우와 일의 자리 숫자가 2인 경우로 나누어 생각합니다.

> 민호: 백의 자리 4, 일의 자리 2
> 깜이: 십의 자리 3, 일의 자리 4
> 아름: 천의 자리 3, 백의 자리 1

백의 자리가 4인 경우

> 민호: 백의 자리 4, 일의 자리 2
> 깜이: 십의 자리 3, 일의 자리 4
> 아름: 천의 자리 3, 백의 자리 1

일의 자리가 2인 경우

> 민호: 백의 자리 4, 일의 자리 2
> 깜이: 십의 자리 3, 일의 자리 4
> 아름: 천의 자리 3, 백의 자리 1

14 손영, 수형, 도은이가 4개의 산의 높이를 다음과 같이 예상했는데 하나씩만 맞았습니다. 두 번째로 높은 산을 구하시오.

！ 유형 2-2

설악산이 첫 번째인 경우와 태백산이 네 번째인 경우로 나누어 생각합니다.

> 손영: 설악산 첫 번째, 태백산 네 번째
> 수형: 설악산 네 번째, 한라산 두 번째
> 도은: 백두산 첫 번째, 한라산 세 번째

설악산이 첫 번째인 경우

> 손영: 설악산 첫 번째, 태백산 네 번째
> 수형: 설악산 네 번째, 한라산 두 번째
> 도은: 백두산 첫 번째, 한라산 세 번째

태백산이 네 번째인 경우

> 손영: 설악산 첫 번째, 태백산 네 번째
> 수형: 설악산 네 번째, 한라산 두 번째
> 도은: 백두산 첫 번째, 한라산 세 번째

접는 선

유형 3-1

5, 8, 9를 먼저 X표 합니다.

15 윤서가 1부터 9까지의 서로 다른 숫자로 만든 세 자리 수를 생각하고 예진이가 맞추는 야구게임을 하고 있습니다. 다음 결과를 보고 윤서가 생각한 세 자리 수를 구하시오.

| 251 | ➡ | 2B | 589 | ➡ | O |
| 134 | ➡ | 2B | 495 | ➡ | 1S |

유형 3-1

9, 2, 3을 먼저 X표 합니다.

16 미진이가 1부터 9까지의 서로 다른 숫자로 만든 세 자리 수를 생각하고 희수가 맞추는 야구게임을 하고 있습니다. 다음 결과를 보고 미진이가 생각한 세 자리를 구하시오.

| 594 | ➡ | 1S | 923 | ➡ | O |
| 563 | ➡ | 1S1B | 268 | ➡ | 2B |

접는 선

2. 경로와 위치

2-1. 경로 찾기 | 01~06

01 보기 와 같이 1번 방에서 시작하여 같은 방을 두 번 지나가지 않고 모든 방을 한 번씩 지나려고 합니다. 마지막에 도착할 수 있는 방에 모두 ○표 하시오.

유형 1-1
직접 그려보며 마지막에 도착하는 방의 번호에 어떤 공통점이 있는지 생각합니다.

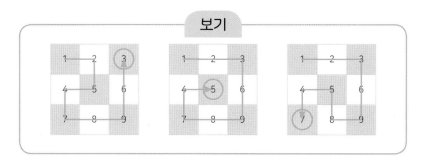

(1)

1	2	3	4
8	7	6	5
9	10	11	

(2)

3	4	7	8
2	5	6	9
1			

02 표 밖의 수는 냥이가 지나간 칸의 개수입니다. 냥이가 움직인 길을 그리시오.

유형 1-1
표 밖의 수를 보고 냥이가 가지 않은 칸에 X표 하고, 지나간 칸에 ○표 합니다.

(1)

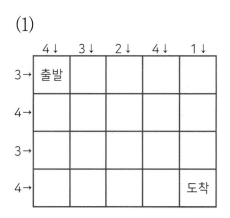

(2)

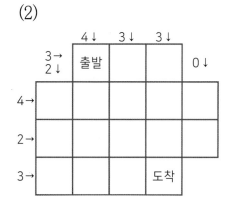

접는 선

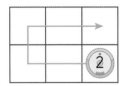
03 다음과 같이 움직이는 로봇 청소기가 있습니다. 로봇 청소기가 움직일 수 있는 길을 그리시오.

① 청소기 위의 수 만큼 방향을 바꿉니다.
② 청소기가 지나가는 길은 겹치지 않습니다.
③ 로봇 청소기가 지나가지 않는 칸은 없습니다.

(1)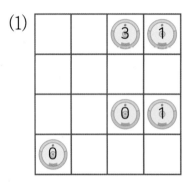

(2)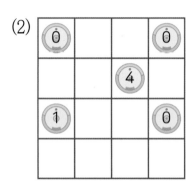

유형 1-2
이웃한 칸 중 파이프가
그려진 칸이 2 개 있는 빈
칸에 먼저 파이프를 그립
니다. 이웃한 칸은 가로
나 세로 방향으로 붙어있
는 칸을 의미합니다.

04 다음 규칙대로 파이프를 그리시오.

① 모든 파이프의 끝과 끝을 연결합니다.
② 두 종류의 파이프만 사용할 수 있습니다.
③ 파이프는 뒤집거나 돌려서 사용할 수 있습니다.
④ 파이프가 지나가지 않는 칸은 없습니다.

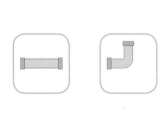

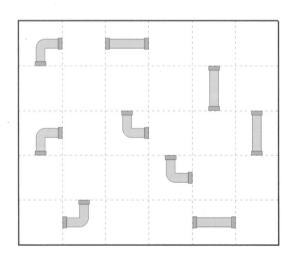

접는 선

05 모든 점을 한 번씩만 지나 처음 위치로 돌아가도록 길을 완성하시오. 단, 이웃한 점으로만 길을 이을 수 있습니다.

! 유형 1-2
3개 이상의 이웃한 점과 선으로 연결되는 점이 없어야 합니다.

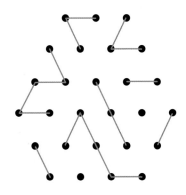

06 다음 규칙을 보고 모든 섬이 연결되도록 다리를 선으로 나타내시오. 단, ○는 섬입니다.

! 유형 1-2
6, 8이 적힌 섬의 다리를 먼저 그립니다.

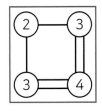

① 섬에 적힌 숫자는 그 섬과 연결된 다리의 개수입니다.
② 섬과 섬 사이의 다리의 개수는 최대 2개입니다.
③ 다리는 가로와 세로 방향으로 연결되어 있습니다.
④ 다리는 다른 다리나 섬을 통과할 수 없습니다.

```
1        4        4


3        8        6


2        5        3
```

접는 선

◼️모양에 우물이 있고 마을이 다음과 같은 규칙대로 있습니다. 단, 이웃한 곳은 가로, 세로 방향으로 붙어있는 곳을 의미합니다.

① 마을은 우물과 이웃한 곳에만 있습니다.
② 우물 하나에 이웃한 마을이 한 개씩만 있어야 합니다.
③ 마을은 서로 이웃하지 않습니다.
④ 그림의 오른쪽, 아래쪽의 수는 그 줄에 있는 마을의 개수입니다.

⚠️ 유형 2-1
우물과 이웃하지 않은 칸에 X표 합니다.

07 위의 규칙을 보고 마을이 있는 곳에 모두 △표 하시오.

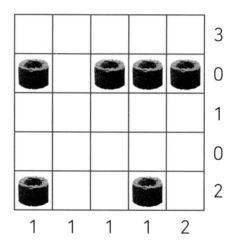

⚠️ 유형 2-1
수가 0인 줄에 X표 합니다.

08 위의 규칙을 보고 마을이 있는 곳에 모두 △표 하시오.

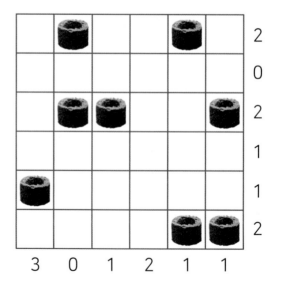

접는 선

09 가로, 세로, 대각선 방향으로 이웃하는 두 수가 오지 않도록 □ 안에 1에서 7까지의 수를 써넣으시오. 단, 이웃하는 수는 차가 1인 수를 의미합니다.

● 유형 2-1

가로, 세로, 대각선으로 이웃하는 □가 가장 많은 □를 찾습니다.

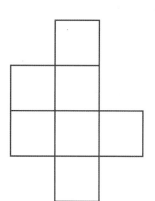

10 다음 규칙을 보고 1에서 5까지의 수를 써넣으려고 합니다. 5를 써넣어야 하는 칸에 모두 ○표 하시오.

● 유형 2-1

각 줄에서 이웃한 수보다 모두 큰 칸을 5로, 모두 작은 칸을 1로 예상해봅니다.

> ① 같은 줄에는 서로 다른 수가 하나씩 들어갑니다.
> ② 부등호의 방향에 맞게 수를 써넣습니다.

다음 규칙대로 모양을 표 안에 알맞게 그리시오.

① 한 줄에 있는 모양은 서로 다릅니다.
② 줄의 왼쪽, 오른쪽, 위쪽, 아래쪽의 모양은 각각 그 줄의
가장 왼쪽, 오른쪽, 위쪽, 아래쪽에 있는 모양과 같습니다.

! 유형 2-2
11
모서리 칸 안에 들어갈
모양을 먼저 구합니다.

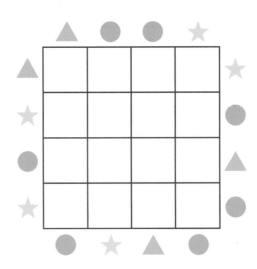

! 유형 2-2
12
모서리 칸 안에 들어갈
모양을 먼저 구합니다.

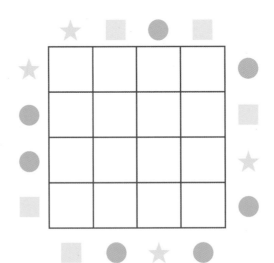

접는 선

13 회색 □와 이웃한 흰색 □에는 같은 수가 들어갑니다. 굵은 선 안의 표에서 같은 줄에 1부터 5까지 서로 다른 수가 들어가도록 수를 써넣으시오.

⚠ 유형 2-2
먼저 회색 □와 이웃한 흰색 □ 안에 수를 써넣습니다.

	5	2	1	4	3	
5						3
1						2
3						4
2						5
4						1
	4	3	2	5	1	

14 오른쪽과 같이 굵은 선 안의 표에는 1 또는 2만 들어가고 표 바깥에 있는 수는 그 줄의 칸에 들어가는 수의 합입니다. 표를 완성하시오.

⚠ 유형 2-2
수가 10인 줄의 칸에 들어갈 수를 먼저 생각합니다.

	5	6	4
6	2	2	2
5	2	2	1
4	1	2	1

(1)

	8	7	6	9	10
10					
9					
8					
7					
6					

(2)

	10	7	6	8	9
6					
9					
10					
8					
7					

15 다음 규칙대로 나누는 선을 그리시오.

> ① 모든 조각은 사각형 모양입니다.
> ② 조각 안의 수는 조각 안의 □의 개수입니다.
> ③ 조각 하나에는 수가 하나씩 있습니다.

(1)

				5
			3	
		4		
4				
			3	6

(2)

3					8
		3			
				4	
2					
			4		6
			6		

16 다음 규칙대로 표를 나누는 선을 그리시오.

> ① 조각 안의 수는 □의 개수를 나타냅니다.
> ② 모든 조각 안에는 처음에 있는 수가 적어도 한 개 있습니다.

2	1		1		4
		6	4		5
	6				
1		3	5	4	3
	5				
5		5		1	3

3. 펜토미노 퍼즐

3-1. 점을 이어 자른 퍼즐 | 01~06

그림과 같이 펜토미노를 잘라 5조각의 퍼즐을 만들었습니다.

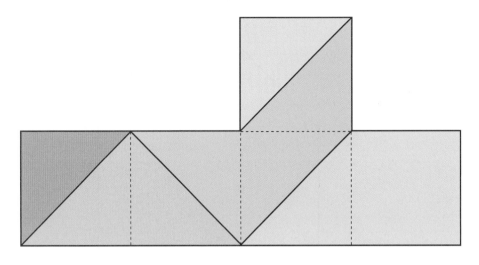

5조각의 퍼즐을 사용하여 다른 모양의 펜토미노를 만드시오.

01

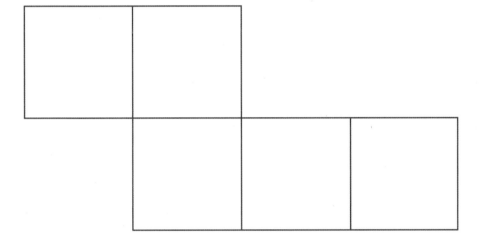

⚠ 유형 1-1
주황색 퍼즐을 놓는 위치
를 먼저 찾습니다.

02

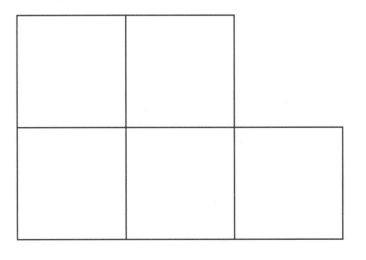

⚠ 유형 1-1
주황색 퍼즐을 놓는 위치
를 먼저 찾습니다.

접는 선

81쪽의 퍼즐로 여러 가지 모양을 만들고, 선을 그리시오.

03

유형1-2

모양을 정사각형 4개와 삼각형 2개로 다음과 같이 나눌 수 있습니다. 삼각형은 정사각형을 반으로 나눈 것과 크기와 모양이 같습니다.

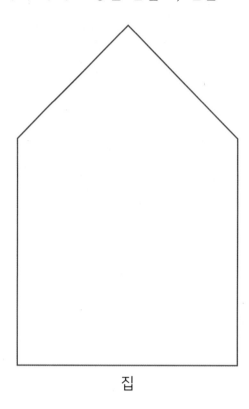

집

04

유형1-2

모양을 정사각형 4개와 삼각형 2개로 다음과 같이 나눌 수 있습니다. 삼각형은 정사각형을 반으로 나눈 것과 크기와 모양이 같습니다.

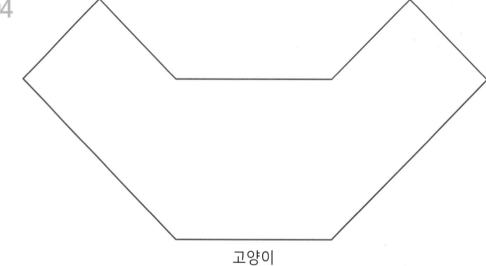

고양이

접는 선

05

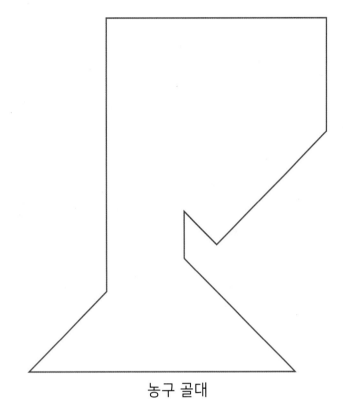

농구 골대

! 유형1-2

모양을 정사각형 2개와 삼각형 6개로 다음과 같이 나눌 수 있습니다. 삼각형은 정사각형을 반으로 나눈 것과 크기와 모양이 같습니다.

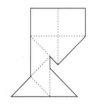

06

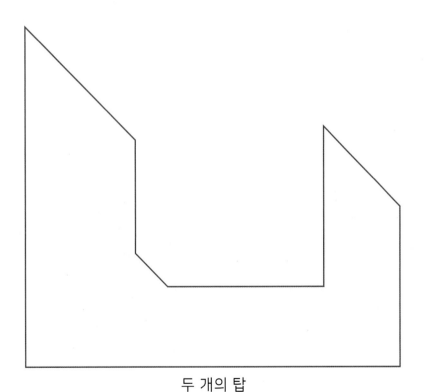

두 개의 탑

! 유형1-2

모양을 정사각형 2개와 삼각형 6개로 다음과 같이 나눌 수 있습니다. 삼각형은 정사각형을 반으로 나눈 것과 크기와 모양이 같습니다.

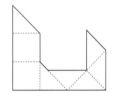

접는 선

그림과 같이 펜토미노를 잘라 5조각의 퍼즐을 만들었습니다.

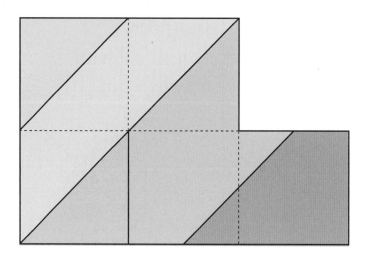

5조각의 퍼즐로 여러 가지 모양을 만들고, 선을 그리시오.

! 유형 2-1

나누는 선의 간격을 일정하게 모양을 나누면 다음과 같습니다. 보라색 퍼즐을 다음과 같이 두 가지 방법으로 놓을 수 있습니다.

07

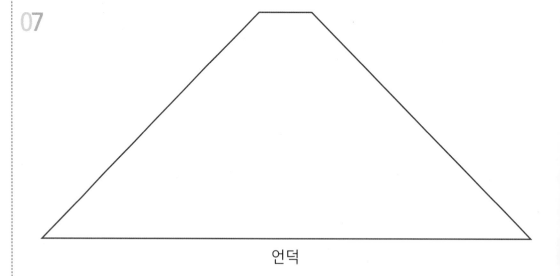

언덕

08

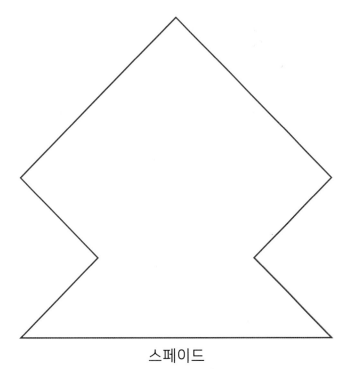

스페이드

❗ 유형 2-2

모양을 정사각형 4개와 삼각형 2개로 다음과 같이 나눌 수 있습니다. 삼각형은 정사각형을 반으로 나눈 것과 크기와 모양이 같습니다.

09

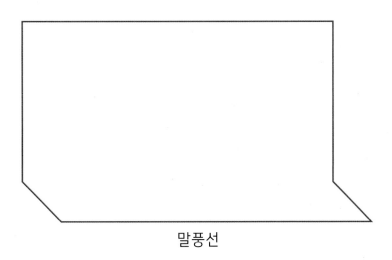

말풍선

❗ 유형 2-2

나누는 선의 간격을 일정하게 모양을 나누면 다음과 같습니다. 초록색 퍼즐을 다음과 같이 놓습니다.

접는 선

! 유형 2-2 10

회색 퍼즐을 다음과 같이
놓고 모양을 완성합니다.

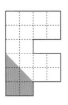

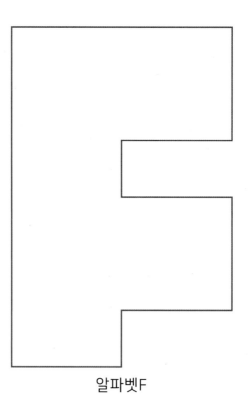

알파벳F

! 유형 2-2 11

초록색 퍼즐을 다음과 같
이 놓고 모양을 완성합니
다.

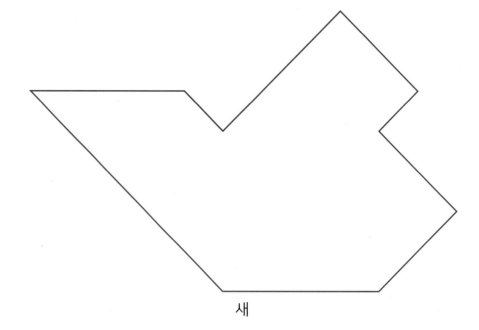

새

접는 선

12가지의 펜토미노 중 주어진 모양을 채울 수 있는 서로 다른 2쌍
의 팬토미노를 그리시오.

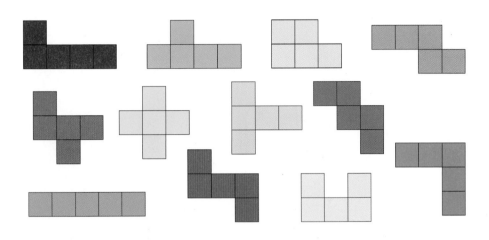

12

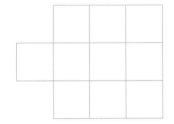 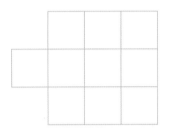

! 유형 3-1

주어진 모양을 만들 수
있는 펜토미노 2쌍을 찾
습니다.

13

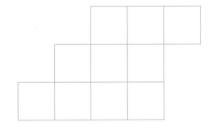 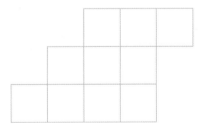

! 유형 3-1

주어진 모양을 만들 수
있는 펜토미노 2쌍을 찾
습니다.

접
는
선

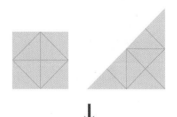

칠교 퍼즐 몇 개를 색깔별로 붙여서 만들 수 있는 같은 모양을 선을 따라 그리시오.

14

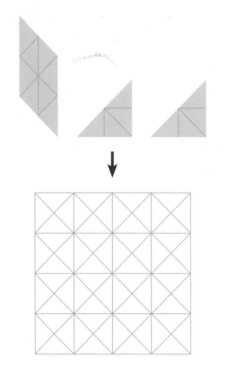

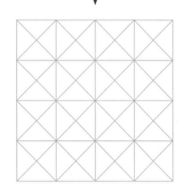

15

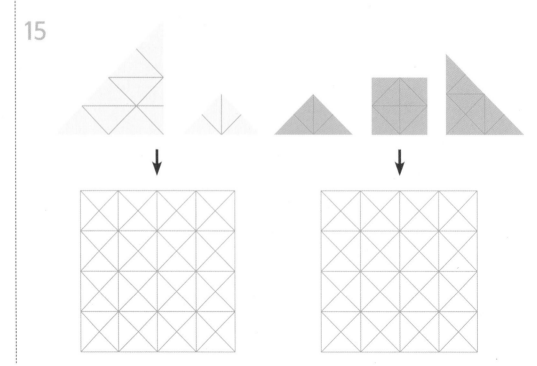

접는 선

4. 도형 움직이기

01 투명 종이를 오른쪽으로 10번 뒤집은 모양과 아래로 15번 뒤집은 모양을 그리시오.

> **⚠ 유형 1-1**
> 홀수 번 뒤집으면 한 번 뒤집은 모양과 같고 짝수 번 뒤집으면 처음의 모양과 같습니다.

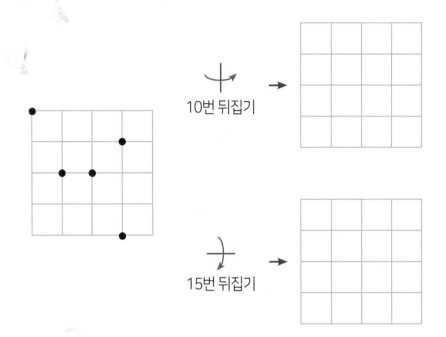

02 주어진 숫자 카드를 연속으로 뒤집은 모양을 오른쪽 카드 안에 그리시오.

> **⚠ 유형 1-1**
> 홀수 번 뒤집으면 한 번 뒤집은 모양과 같고, 짝수 번 뒤집으면 처음의 모양과 같습니다.

(1)

(2)

유형 2-1

돌렸을 때 하나의 변, 또는 색칠된 칸이 어디로 이동하는지 순서대로 구합니다.

03 주어진 방법대로 1번 돌린 모양을 오른쪽 빈칸에 그리시오.

(1)
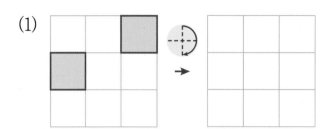

(2)
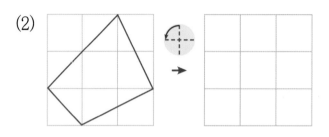

유형 2-1

돌린 횟수를 하나씩 늘렸을 때 오른쪽 모양이 되는지 확인합니다.

04 왼쪽 모양을 ⟳ 만큼 몇 번 돌려 오른쪽 모양을 만들었습니다. 돌린 횟수를 구하시오. 단, 돌린 횟수는 4번을 넘지 않습니다.

(1)
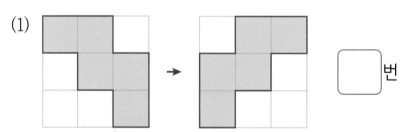
번

(2)
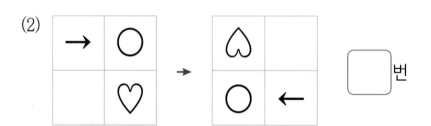
번

접는 선

05 안에 있는 방법 중 왼쪽 방법으로 돌렸을 때와 같은 모양이 나오는 것을 찾아 ○표 하시오.

 유형 2-2
왼쪽 방법을 간단하게 나타냅니다.

(1)

3번 돌리기

1번 돌리기　　　1번 돌리기　　　1번 돌리기

(2)

2번 돌리기

2번 돌리기　　　1번 돌리기　　　2번 돌리기

06 다음 중 같은 모양을 돌렸을 때 다른 모양이 나오는 것을 찾아 ○표 하시오.

 유형 2-2
돌리는 방법을 간단하게 나타낸 후 비교합니다.

①

2번 돌리기

②

1번 돌리기

③

4번 돌리기

④

2번 돌리기　1번 돌리기

⑤

2번 돌리기　2번 돌리기

07 왼쪽의 모양을 돌린 모양을 그리시오.

(1)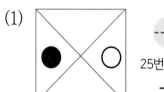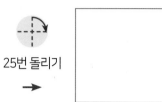

25번 돌리기

(2)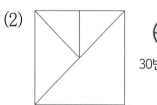

30번 돌리기

08 주어진 모양을 돌린 모양을 그리세요.

(1)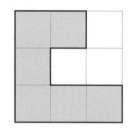

12번 돌리기 15번 돌리기

(2)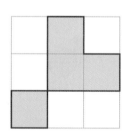

23번 돌리기 17번 돌리기

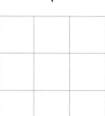

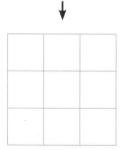

접는 선

09 주어진 모양을 뒤집고 돌린 모양을 그리시오.

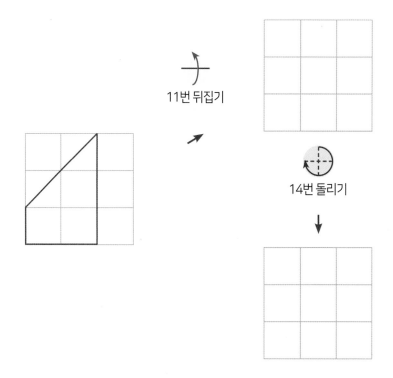

⚠️ 유형 3-1
뒤집은 모양과 돌린 모양을 순서대로 구합니다.

10 다음과 같이 뒤집고 돌린 모양을 찾아 ○표 하시오.

⚠️ 유형 3-1
짝수 번 뒤집을 때 몇 번 뒤집는 것과 같은지 생각합니다.

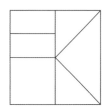
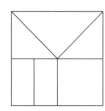
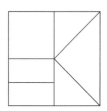
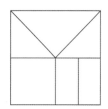

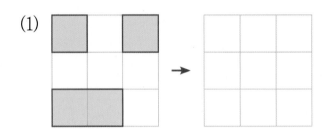

유형3-1
먼저 돌리고 뒤집는 방법
을 간단하게 바꿉니다.

11 다음 모양을 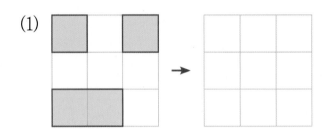 만큼 9번 돌리고 왼쪽으로 7번 뒤집은 모양을 그리시오.

(1)

(2)

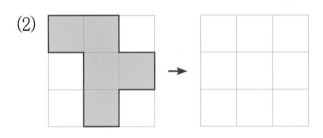

유형3-1
뒤집기를 한 모양을 먼저
구합니다.

12 점이 그려진 투명 종이를 뒤집고 돌린 모양을 그리시오.

(1)

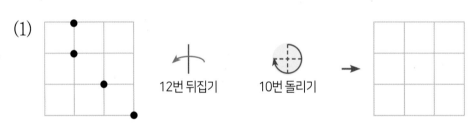

(2)

13 모양을 오른쪽으로 이동하면 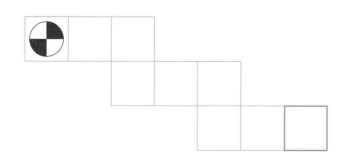 만큼 1번 돌리고, 아래로 이동하면 아래로 1번 뒤집습니다. 빨간색 칸에 들어갈 모양을 그리시오.

 유형 3-1
오른쪽과 아래로 움직일 때마다 모양이 바뀝니다.

14 다음과 같이 돌리고 뒤집은 모양을 보고 처음 모양을 구하시오.

유형 3-2
주어진 방향의 반대 방향으로 뒤집거나 돌립니다.

(1)

(2)

 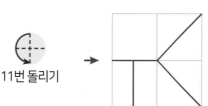

유형 3-2
주어진 방향의 반대 방향
으로 뒤집거나 돌립니다.

15 점판 위에 그린 모양을 돌리고 뒤집은 모양입니다. 처음 모양을 그리시오.

(1)

(2)

유형 3-2
⟳ 만큼 1번 돌린 모양과
⟲ 만큼 1번 돌린 모양은
같습니다.

16 다음은 어떤 모양을 ⟳ 만큼 7번 돌리고 위로 15번 뒤집은 모양입니다. 처음 모양에 ○표 하시오.

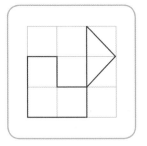

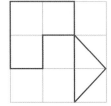 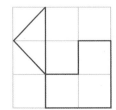 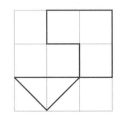

접
는
선

1단원 15쪽 논리 추론 - 1.짝짓기

연역표를 이용하면 몇 가지의 정확한 사실만으로도 대상과 특징을 연결할 수 있습니다. 이때 표의 각 줄에는 ○표를 한 칸만 할 수 있습니다. 각 대상의 특징이 두 개 있을 때는 두 개의 연역표를 비교하여 특징을 찾을 수 있습니다. 본문에서도 한 개의 연역표만 사용해 문제를 해결할 수 있지만 두 개의 연역표를 사용해야 하는 경우도 있습니다.

두 개의 연역표

<활동 목표>

O, X만 사용해서 연역표 한 개를 먼저 완성하고 조건 하나와 완성된 연역표를 비교해 나머지 연역표도 완성합니다.

<활동 방법>

예시와 같이 조건 하나와 표에 있는 ○, X를 이용하여 깜이, 냥이, 재민이가 ㉠, ㉡, ㉢에 하나씩, ①, ②, ③에 하나씩 짝지어지도록 표를 완성하시오.

예시

이름\기호	㉠	㉡	㉢
깜이	○	X	X
냥이	X	X	○
재민	X	○	X

이름\기호	①	②	③
깜이		X	
냥이	X	○	X
재민		X	

㉠은 ①이 아닙니다.

→

이름\기호	㉠	㉡	㉢
깜이	○	X	X
냥이	X	X	○
재민	X	○	X

이름\기호	①	②	③
깜이	X	X	○
냥이	X	○	X
재민	○	X	X

㉠은 ①이 아닙니다.

한 줄에 한 칸씩만 ○표를 한다면 왼쪽 표를 완성할 수 있습니다. 오른쪽 표는 아직 완성할 수 없습니다.

㉠은 ①이 아니기 때문에 깜이는 ①이 아닙니다. 빨간색 칸에 X표 해서 오른쪽 표도 완성할 수 있습니다.

(1)

이름\기호	㉠	㉡	㉢
깜이			X
냥이		○	
재민			

이름\기호	①	②	③
깜이		X	
냥이			
재민			

㉢은 ③입니다.

(2)

이름\기호	㉠	㉡	㉢
깜이			
냥이	○		
재민			

이름\기호	①	②	③
깜이		X	
냥이			
재민	○		

㉡은 ③이 아닙니다.

3단원 60쪽 **펜토미노 퍼즐**

아래에 나온 퍼즐은 어렵지만 풀고나면 재미있는 칠교 퍼즐입니다. 일부만 다르고 나머지는 똑같아 보이기 때문에 둘 중 하나는 못 만들지 않을까 생각할수도 있지만 자세히 살펴보면 나머지 부분도 길이나 너비가 약간 차이납니다. 공식처럼 접근하기는 어렵기 때문에 칠교 조각을 다양한 방법으로 뒤집고 돌리며 맞는 모양을 찾습니다.

구멍 뚫린 사각형

준비물 - 활동 자료 4

<활동 목표>

칠교 조각을 사용해 구멍이 없는 사각형과 크기와 모양이 같아 보이지만 구멍이 뚫린 사각형을 만듭니다. 모양을 만든 후 비교하면 두 사각형이 세로 길이는 같지만 가로 길이는 다른 것을 확인할 수 있습니다.

<활동 방법>

가운데에 모래시계 모양으로 구멍 뚫린 정사각형에 맞게 칠교 조각을 놓고, 선을 그립니다.

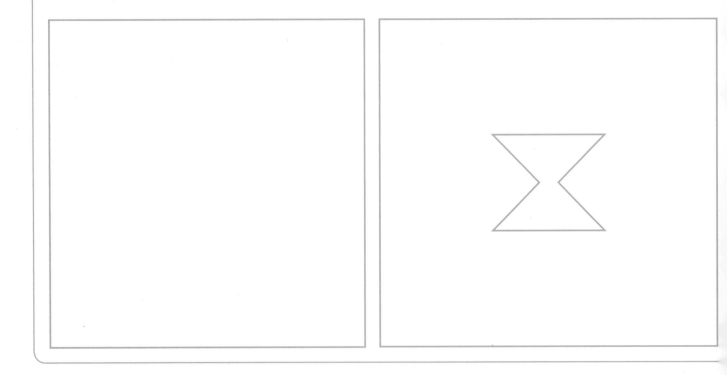

준비물 - 활동자료 4

<활동 목표>

다른 모든 부분은 크기와 모양이 같아 보이지만 왼쪽은 다리가 없고 오른쪽은 다리가 있는 모양입니다. 모양을 만든 후 비교하면 몸통에서 머리까지의 높이가 약간 차이나는 것을 확인할 수 있습니다.

<활동 방법>

두 모양에 맞게 칠교 조각을 놓고, 선을 그립니다.

정답

1. 논리 추론

9쪽

생각열기
자물쇠 번호

> 네 개의 숫자를 빨간선에 일치시키면 열려. 1, 2, 3, 4를 한 번씩 사용해서 열 수 있어. 숫자의 순서를 맞춰 봐.

> 2개는 맞았어.

> 다 틀렸네.

자물쇠를 여는 번호를 차례로 쓰시오.

1, 4, 3, 2

10쪽

🌱 그림의 자물쇠는 1, 2, 3, 4를 한 번씩 사용하여 열 수 있습니다. 세 자물쇠 모두 자리가 맞는 숫자가 하나도 없을 때 자물쇠를 여는 번호를 차례로 쓰시오.

2, 4, 3, 1

[풀이]

첫 번째 위치에서 4, 1, 3 모두 맞는 숫자가 아니므로 표에서 4, 1, 3에 X표 하여 2가 맞는 숫자임을 알 수 있습니다. 나머지 자리도 같은 방법으로 확인할 수 있습니다.

순서 번호	첫 번째	두 번째	세 번째	네 번째
1	X	X	X	O
2	O	X	X	X
3	X	X	O	X
4	X	O	X	X

11쪽

탐구주제
1 짝짓기

탐구 유형 1-1	상자 안의 공

[정답]

(1) 빨간색 공, ⓒ 상자

(2) ㉠

[풀이]

①, ②번 설명에서 빨간색 공의 위치만 바뀌었는데 제자리에 있는 공의 개수가 1개와 2개로 차이 납니다. 그러므로 빨간색 공은 ⓒ 상자에 들어있습니다. 같은 방법으로 ②, ③번 설명을 비교하면 파란색 공은 ⓒ 상자에 들어있습니다. 노란색 공은 ② 상자에 들어있던 공이 아니므로 마지막 남은 ㉠ 상자에 있던 공입니다.

12쪽

연습 01

[정답] 재완

[풀이]

첫 번째, 두 번째 설명을 비교해 승현이의 위치가 테이블의 왼쪽임을 알 수 있습니다. 첫 번째, 세 번째 설명을 비교해 연수의 위치가 테이블의 윗쪽임을 알 수 있습니다. 재완이의 위치는 아래쪽입니다.

연습 02

[정답]

1	2
③	4

[풀이]

첫 번째, 세 번째 그림을 비교해 파란색 원의 위치가 2번임을 알 수 있습니다. 두 번째, 세 번째 친구의 그림을 비교해 빨간색 원의 위치가 1번임을 알 수 있습니다. 세 친구 모두 초록색 원을 잘못된 위치에 그렸으므로 초록색 원의 위치는 3번입니다.

탐구 유형 1-2　　좋아하는 과일

[정답]

(1)

과일\이름	깜이	냥이	지희	승연
수박	X	○	X	X
사과	X	X	○	X
바나나	○	X	X	X
체리	X	X	X	○

(2) 깜이- 바나나　냥이- 수박　지희- 사과　승연- 체리

[풀이]

첫 번째 조건으로 깜이, 냥이 줄의 체리 칸에 X표 합니다. 두 번째 조건으로 지희, 승연의 수박, 바나나 칸에 X표 합니다. 세 번째 조건으로 지희 줄의 체리 칸에 X표 합니다. 네 번째 조건으로 깜이 줄의 수박 칸에 X표 합니다.

과일\이름	깜이	냥이	지희	승연
수박	X		X	X
사과				
바나나			X	X
체리	X	X	X	

→

과일\이름	깜이	냥이	지희	승연
수박	X	○	X	X
사과	X	X	○	X
바나나	○	X	X	X
체리	X	X	X	○

01

[정답] 4층

[풀이] 주어진 조건을 따라 X표 하면 왼쪽 표와 같습니다.

이름\층수	1층	2층	3층	4층
민영				X
예진	X		X	X
도연				X
희성				

→

이름\층수	1층	2층	3층	4층
민영	○	X	X	X
예진	X	○	X	X
도연	X	X	○	X
희성	X	X	X	○

02

[정답] 5

[풀이]

첫 번째 조건으로 재완이 줄의 칸에 X표 하고, 두 번째 조건으로 승현, 연수 줄의 칸에 ○표 합니다.

숫자\이름	제민	승현	연수	재완
1				X
4			○	
5				
8		○		X

→

숫자\이름	제민	승현	연수	재완
1	○	X	X	X
4	X	X	○	X
5	X	X	X	○
8	X	○	X	X

탐구 유형 1-3　　성, 이름, 나이

[정답] (1), (2) 풀이 참고　(3) 최 씨 11 살

[풀이]

①번 조건대로 X표, ②번 조건대로 ○표 하면 왼쪽 표와 같습니다.

(1)

성\나이	9살	10살	11살
최 씨			
이 씨	○		
강 씨			X

→

성\나이	9살	10살	11살
최 씨	X	X	○
이 씨	○	X	X
강 씨	X	○	X

최씨- 11 살　이씨- 9 살　강씨- 10 살

③번 조건대로 빨간색 X표 할 수 있습니다. 10살인 사람은 강씨이기 때문에 ④번 조건대로 파란색 X표 할 수 있습니다.

(2)

성\이름	가희	나정	다연
최 씨		X	
이 씨			
강 씨	X		

→

성\이름	가희	나정	다연
최 씨	○	X	X
이 씨	X	○	X
강 씨	X	X	○

가희- 최 씨　나정- 이 씨　다연- 강 씨

01

[정답] 1층 - 민주, 박 씨, 2층 - 예진, 강 씨, 3층 - 진아, 김 씨

[풀이]

민주는 예진이보다 아래층에 살기 때문에 민주는 3층에 살지 않고 예진이는 1층에 살지 않습니다. 예진이의 위층에 김 씨가 살기 때문에 예진이가 사는 곳은 3층이 아닙니다. 왼쪽과 같이 표를 채울 수 있습니다.

층수\이름	민주	예진	진아
3층	X	X	
2층			
1층		X	

→

층수\이름	민주	예진	진아
3층	X	X	○
2층	X	○	X
1층	○	X	X

강 씨는 민주 바로 위층에 살기 때문에 2층 칸에 ○표 하고, 김 씨는 예진이보다 위층에 살기 때문에 3층 칸에 ○표 합니다.

층수\성	김 씨	박 씨	강 씨
3층	○		
2층			○
1층			

→

층수\성	김 씨	박 씨	강 씨
3층	○	X	X
2층	X	X	○
1층	X	○	X

[정답] 제민, 연구원

[풀이]

①, ②번 조건을 사용해서 아래와 같이 표에 X표 할 수 있습니다.

직업\집	첫 번째	두 번째	세 번째
의사	X		X
변호사			
연구원			

이름\집	첫 번째	두 번째	세 번째
지우			X
연수			
제민	X		

③번 조건을 사용하면 첫 번째 줄의 변호사 칸에 ○표 해서 다음과 같이 첫 번째 표를 완성할 수 있습니다.

직업\집	첫 번째	두 번째	세 번째
의사	X	○	X
변호사	○	X	
연구원	X	X	

→

직업\집	첫 번째	두 번째	세 번째
의사	X	○	X
변호사	○	X	X
연구원	X	X	○

①, ②번 조건에서 지우와 제민이는 의사가 아니고, 따라서 두 번째 집에 살지 않습니다.

이름\집	첫 번째	두 번째	세 번째
지우		X	X
연수			
제민	X	X	

→

이름\집	첫 번째	두 번째	세 번째
지우	○	X	X
연수	X	○	X
제민	X	X	○

17쪽

탐구 주제 2 참과 거짓

탐구 유형 2-1 1등은 누구?

[정답]

(1)

윤주가 1등인 경우
윤주	도영	희찬	한솔
X	○	○	X

도영이가 1등인 경우
윤주	도영	희찬	한솔
X	X	○	X

희찬이가 1등인 경우
윤주	도영	희찬	한솔
X	○	X	X

한솔이가 1등인 경우
윤주	도영	희찬	한솔
○	○	○	X

(2) 희찬

[풀이]

맞는 말을 하는 사람은 단 한 명이므로 ○표를 한 번만 한 경우를 찾습니다. 희찬이가 1등이라고 가정했을 때 조건을 만족하므로 희찬이가 1등입니다.

[정답] 제민

[풀이]

제민, 희성, 세홍이가 반장인 경우를 가정합니다. 맞는 말을 하는 사람에 ○표, 거짓말을 하는 사람에게 X표 해서 ○표를 한 번만 한 경우를 찾습니다. 제민이가 반장일 때 조건을 만족합니다.

제민이가 반장인 경우
제민	희성	세홍
X	X	○

희성이가 반장인 경우
제민	희성	세홍
○	○	X

세홍이가 반장인 경우
제민	희성	세홍
○	○	X

18쪽

02

[정답] 승연

[풀이]

4명 중 한 명이 도둑인 경우를 가정합니다. 맞는 말을 하는 사람에 ○표, 거짓말을 하는 사람에게 X표 해서 ○표를 한 번만 한 경우를 찾습니다. 승연이가 도둑일 때 조건을 만족합니다.

제민이가 도둑인 경우
제민	승연	연수	재완
○	○	X	X

승연이가 도둑인 경우
제민	승연	연수	재완
X	X	X	○

연수가 도둑인 경우
제민	승연	연수	재완
○	○	○	X

재완이가 도둑인 경우
제민	승연	연수	재완
○	○	X	X

03

[정답] 양우

[풀이]

4명 중 한 명이 당첨된 경우를 가정합니다. 맞는 말을 하는 사람에 ○표, 거짓말을 하는 사람에게 X표 해서 X표를 한 번만 한 경우를 찾습니다. 양우가 도둑일 때 조건을 만족합니다.

효진이가 당첨된 경우
효진	양우	지수	준영
X	X	X	X

양우가 당첨된 경우
효진	양우	지수	준영
○	X	○	○

지수가 당첨된 경우
효진	양우	지수	준영
○	X	X	○

준영이가 당첨된 경우
효진	양우	지수	준영
○	X	X	X

탐구 유형 2-2　　본선에 오르는 팀

[정답]

(1)

민우: 한국 1등, 그리스 2등
채용: 독일 1등, 칠레 3등
연수: 칠레 2등, 그리스 4등

(2)

민우: 한국 1등, 그리스 2등
채용: 독일 1등, 칠레 3등
연수: 칠레 2등, 그리스 4등

(3) (1)번

(4) 한국, 독일

[풀이]

민우의 예상 중 하나만 맞기 때문에 두 가지 예상 중 어떤 것이 맞는지 가정하여 조건에 ○표 또는 X표 합니다. 그리스가 2등이라고 가정하면 연수의 말 중 칠레도 2등이 아니고 그리스도 4등이 아닙니다. 따라서 민우의 예상 중 한국이 1등인 것을 맞춘 것입니다.

 01

[정답] 해왕성

[풀이]

해왕성이 두 번째라고 가정한다면 민수의 말이 모두 오답이 됩니다. 화성이 태양과 첫 번째로 가깝습니다.

해왕성이 두 번째인 경우	화성이 첫 번째인 경우
제민: 해왕성 두 번째, 화성 첫 번째	제민: 해왕성 두 번째, 화성 첫 번째
양우: 토성 세 번째, 목성 첫 번째	양우: 토성 세 번째, 목성 첫 번째
민수: 토성 두 번째, 해왕성 네 번째	민수: 토성 두 번째, 해왕성 네 번째

 02

[정답] □ △ ◇ ○

[풀이]

○를 두 번째 칸에 그렸다고 가정한다면 제민이가 그린 그림은 모두 알맞지 않습니다.

□가 첫 번째인 경우		○가 두 번째인 경우	
□ ✕	지우	✕ ◎	지우
✕ ◇	연수	△ ◇	연수
✕ ◎	제민	✕ ✕	제민

 탐구주제

 ③　야구게임

냥이가 숫자를 정하고 깜이가 대답을 합니다. 깜이가 287이라고 말하니 냥이가 "1S2B"라고 말하고 276이라고 말하니 냥이가 "2S"라고 말합니다. 냥이가 정한 수를 구하시오.

278

[풀이]

첫 번째 조건으로 숫자 2, 8, 7을 사용한 것을 알 수 있습니다. 이 중 276을 만들기 위해 사용한 것은 2, 7이므로 2는 백의 자리, 7은 십의 자리 숫자입니다. 일의 자리 숫자는 세 숫자 중 남은 8입니다.

탐구 유형 3-1　　세 자리 수 맞추기

[정답] (1) 3, 6, 9　(2) 693

[풀이]

147과 769로 6, 9를 사용했고 1, 4, 7을 사용하지 않은 것을 알 수 있습니다. 147과 931로 3, 9를 사용한 것을 알 수 있습니다. 931과 769로 9의 위치가 십의 자리임을 알 수 있습니다.

 01

[정답] 248

[풀이]

951과 429로 1, 5, 9를 사용하지 않고 2, 4를 사용한 것을 알 수 있습니다. 951과 184로 4, 8을 사용한 것을 알 수 있습니다. 184와 852로 8이 일의 자리 숫자인 것을 알 수 있습니다. 429와 852로 2가 백의 자리 숫자인 것을 알 수 있습니다.

 02

[정답] 379

[풀이]

128로 1, 2, 8을 사용하지 않은 것을 알 수 있습니다. 463, 469로 4, 6을 사용하지 않고 3, 9를 사용한 것을 알 수 있습니다. 469는 "1S"이므로 일의 자리 숫자는 9입니다. 769로 7이 사용된 것을 알 수 있고, 579로 7이 십의 자리 숫자인 것을 알 수 있습니다.

[정답] ③

[풀이]

682, 153으로 숫자 4 ,7, 9를 사용하고 나머지 숫자를 사용하지 않은 것을 알 수 있습니다. 숫자의 위치를 알 수 있는 결과를 찾습니다.

결과 ①, ②, ④로는 사용하지 않은 숫자만 알 수 있고 4, 7, 9의 위치는 알 수 없습니다. 176으로 7이 십의 자리 숫자인 것을 알 수 있고 719로 9가 일의 자리 숫자인 것을 알 수 있습니다.

24쪽

 TOP 사고력

01

[정답] 이 씨

[풀이] ①, ③, ④번 조건에 따라 X표 하면 왼쪽 표와 같고 한 줄에 ○를 한 개만 있게 표를 그리면 오른쪽 표와 같습니다.

이름＼성씨	김 씨	이 씨	박 씨	최 씨
가람	X			
윤서				
지후	X	X	X	

→

이름＼성씨	김 씨	이 씨	박 씨	최 씨
가람	X			X
윤서	○			X
지후	X	X	X	○

②번 조건에 따르면 이 씨인 사람이 반드시 있어야 합니다. 아직 성을 모르는 가람이는 이 씨입니다.

02

[정답] 딸기

[풀이]

아래와 같이 ②번이 참일 경우 정호는 사과, 세민이는 딸기, 시후는 참외를 좋아합니다.

①번이 참일 경우

정호	세민	시후
참외		참외

②번이 참일 경우

정호	세민	시후
사과	딸기	참외

③번이 참일 경우

정호	세민	시후
사과,참외		

④번이 참일 경우

정호	세민	시후
사과,참외		참외,딸기

25쪽

03

[정답] 209

[풀이] 741로 1, 4, 7을 사용하지 않은 것을 알 수 있습니다. 682와 603으로 6을 사용하지 않은 것을 알 수 있습니다. 603과 805로 0이 십의 자리 숫자이고 3, 5, 6, 8을 사용하지 않은 것을 알 수 있습니다. 953으로 9를 사용하긴 했지만 백의 자리 숫자는 아닌 것을 알 수 있습니다. 9는 일의 자리 숫자입니다. 1, 3, 4, 5, 6, 7, 8은 사용하지 않았고 0, 9의 위치가 정해졌으므로 남은 숫자인 2는 백의 자리 숫자가 됩니다.

04

[정답] 풀이 참고

[풀이]

승현이는 제민이 왼쪽에 앉아 있으므로 제민이는 ⑤번 자리에 앉게 됩니다. 승현이와 연수는 붙어있지 않으므로 연수는 ③, ④번 중 한자리에 앉아야 합니다. 연수가 ③번 자리에 앉으면 남은 자리는 ②, ④번 자리뿐이기 때문에 윤주가 재완이 왼쪽에 앉을 수 없습니다. 연수의 자리는 ④번입니다. 다음과 같이 자리를 알 수 있습니다.

2. 경로와 위치

27쪽

생각열기

모든 방을 지나라

1	2	3
4	5	6
7	8	9

깜이가 5번 방에서 출발해서 다른 모든 방을 지나 5번 방으로 돌아오려고 합니다. 가능한 길이 있는지 구해보고 가능한 길이 없다면 그 이유를 생각해보시오.

모든 방을 한 번씩 지나간다면 8번 움직이게 되고 마지막에 홀수 번 방에 있게 됩니다. 홀수 번 방에서 홀수인 5번 방으로 한 번에 갈 수는 없습니다.

28쪽

🏆 보기 와 같이 1번 방에서 시작해서 같은 방을 2번 지나지 않고 모든 방을 한 번씩 지나려고 합니다. 출발하는 방으로 선택할 수 없는 방에 모두 X표 하시오.

보기
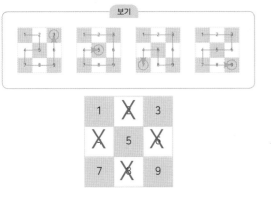

1	X	3
X	5	X
7	X	9

[풀이]

직접 그려 보면서 규칙을 찾으면 출발하는 방으로 선택할 수 없는 방의 번호가 짝수라는 것을 알 수 있습니다.

방을 모두 지나려면 홀수에서 시작해서 홀수로 끝나도록 이동해야 합니다. 짝수에서 시작하면 홀수와 짝수를 번갈아가면서 이동하여 9개 방을 모두 지날 수 없습니다.

29쪽

🏆 보기 와 같이 1번 방에서 출발해서 모든 방을 한 번씩 지나려고 합니다. 마지막에 도착할 수 있는 방에 모두 ○표 하시오.

보기
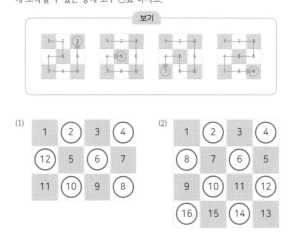

(1)
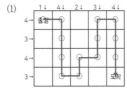

(2)
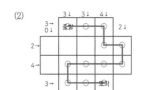

[풀이]

이동하면서 홀수와 짝수를 한 번씩 반복합니다. 방이 모두 짝수 개 있으므로 모든 방을 지나면 마지막에 짝수 번 방에 도착합니다.

30쪽

탐구주제

1 경로 찾기

탐구 유형1-1   로봇청소기가 가는 길

[정답]

(1)
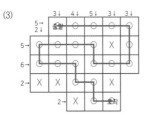

(2)

(3)

(4)
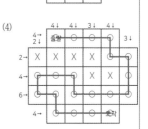

[풀이]

출발, 도착 칸에 ○표 합니다. 각 줄에 써넣어야 하는 ○의 개수가 채워지면 나머지 칸에 X표 합니다. ○표 한 칸을 이어 길을 그립니다.

01

[정답]

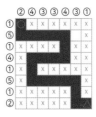

[풀이]

칸을 색칠해 지나가는 길을 표시합니다. ○, △가 위치한 칸을 칠합니다. 각 줄의 색칠한 칸의 개수가 채워지면 나머지 칸에 X표 합니다. 색칠한 칸은 끊어지는 부분 없이 한 줄로 이어져야 합니다.

02

[정답]

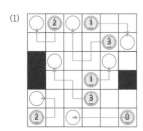 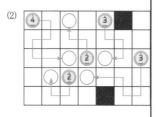

[풀이]

0번 로봇 청소기는 같은 줄에 있는 ○로 연결하는 길을 그립니다. 그 다음 1번 로봇 청소기가 지나가는 길을 그립니다.

32쪽

| 탐구 유형 1-2 | 파이프 연결 |

[정답]

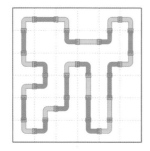

[풀이]

빈칸에 닿는 파이프 끝이 두 개 있다면 그 칸에는 이웃한 파이프를 모두 연결할 수 있는 파이프를 놓습니다.

33쪽

01

[정답]

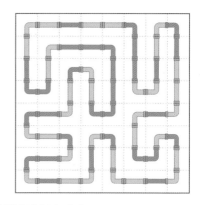

여러 가지 방법이 있습니다.

02

[정답]

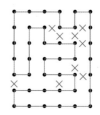

[풀이] 선을 이을 수 없는 곳에 X표 하며 길을 구합니다. 모서리의 점은 반드시 가로, 세로로 이웃한 점과 연결해야 합니다. 점들이 일부만 하나로 연결되어서는 안됩니다.

34쪽

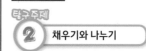
2 채우기와 나누기

우물과 이웃하지 않은 칸, 우물의 개수가 0인 줄의 칸에 X표 하시오.

마을이 있는 곳에 모두 △표 하시오.

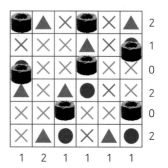

[풀이]

우물과 이웃하지 않은 칸, 마을의 개수가 0인 줄의 칸에 파란색 X표를 합니다. 표의 오른쪽, 아래쪽의 수와 각 줄에 있는 X의 개수를 비교하여 마을을 찾습니다.

35쪽

💬 ●표 한 곳에 우물이 있고 마을이 왼쪽과 똑같은 규칙으로 있습니다. 마을이 있는 곳에 모두 △표 하시오.

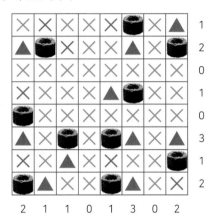

[풀이]

우물과 이웃하지 않은 칸, 마을의 개수가 0인 줄의 칸에 파란색 X표를 합니다. 표의 오른쪽, 아래쪽의 수와 각 줄에 있는 X의 개수를 비교하여 마을을 찾습니다. 이때 마을과 마을이 이웃하지 않게 주의합니다.

36쪽

탐구 유형 2-1   조건에 맞게 수 넣기

[정답]

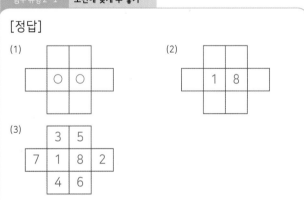

이 외에도 여러가지 방법이 있습니다.

[풀이]

이웃하는 칸이 가장 많은 칸에는 이웃하는 수가 1개밖에 없는 수를 써넣습니다. 1, 8을 가운데에 써넣고 7을 1의 옆에, 2를 8의 옆에 써넣습니다.

[정답]

2	4	6	
8	0	9	1
	3	5	7

[풀이]

이웃하는 수가 하나밖에 없는 0과 9를 가운데에 써넣습니다. 그다음 1은 0과 이웃하지 않는 칸에, 8은 9와 이웃하지 않는 칸에 써넣고 나머지 수를 차례대로 써넣습니다. 이 외에도 여러가지 방법이 있습니다.

37쪽

연습 02

[정답]

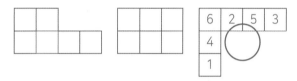

[풀이]

두 번째 표는 모든 칸과 이웃하는 칸이 하나 있기 때문에 조건에 맞게 수를 써넣을 수 없습니다. 첫 번째 표에서 빨간색 칸이 이웃하는 칸이 가장 많기 때문에 빨간색 칸에 1 또는 6을 써넣어야 합니다. 여기에 1을 써넣으면 2와, 6을 써넣으면 5와 무조건 이웃하게 됩니다. 세 번째 경우 위와 같이 수를 써넣을 수 있습니다. (이 외에도 여러 가지 방법이 있습니다.)

연습 03

[정답]

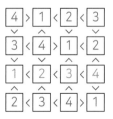

[풀이]

부등호의 방향을 따라 파란색 숫자부터 먼저 써넣을 수 있습니다.

[정답]

(1) 파란색 기호 참고

(2)

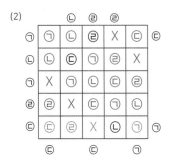

[풀이]

가장 아랫줄에서 ㉢은 왼쪽에서 첫 번째, 또는 두 번째 칸에 있어야 합니다. 같은 줄에 ㉢이 두 개 있으면 안되므로 첫 번째 칸에 ㉢을 써넣습니다. 한 줄에 기호와 X가 한 개씩만 있게 써넣습니다.

 01

[정답]

[풀이] 표 안에 주어진 검은색 ㉢과 제일 아래 가로줄의 양옆의 기호를 보고 제일 아래 가로줄이 왼쪽으로부터 ㉡, ㉠, ㉢, 빈칸임을 알 수 있습니다.

 02

[정답]

[풀이] 한 줄에 같은 수가 한 번만 들어가도록 써넣습니다.

[정답]

(1)   (2)

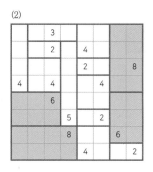

[풀이]

색칠한 칸부터 먼저 나누고 나머지 부분도 사각형이 되도록 나눕니다.

 01

[정답]

(1)   (2)
(3)   (4)

[풀이]

1이 적힌 칸을 나누는 테두리를 먼저 그립니다. 그다음 가장 큰 수를 포함하는 조각의 테두리를 그립니다. 같은 수가 들어 있는 조각이 서로 이웃하지 않도록 합니다.

 TOP **사고력**

01
[정답]

[풀이]

지나가는 칸에는 ○표, 지나가지 않는 칸에는 X표 합니다. 한 줄의 ○표의 개수가 그 줄의 번호와 같다면 그 줄의 나머지 칸에 모두 X표 합니다.

02
[정답]

□ < □ < 6 > □ > □
□ < □ < 5 > □ > □
□ < □ < 4 > □ > □
□ < □ < 3 > □ > □
□ > □ > 2 ○ 1 > □

1 < 3 < 5 > 4 > 2
5 > 1 < 4 > 2 < 3
2 < 4 > 3 < 1 < 5
4 < 5 > 2 < 3 > 1
3 > 2 > 1 < 5 < 4

[풀이]

빨간색 칸에 1을 써넣으면 부등호의 반대 방향을 따라 6까지 써넣어야 합니다. ○표 한 부등호를 고쳐 퍼즐을 완성할 수 있습니다.

03
[정답]

[풀이]

빨간색 칸의 수를 지우지 않으면 6이 적힌 칸을 포함하는 조각을 나눌 수 없습니다.

3. 펜토미노 퍼즐

펜토미노 퍼즐 만들기

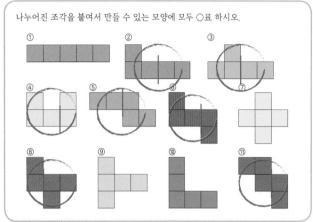

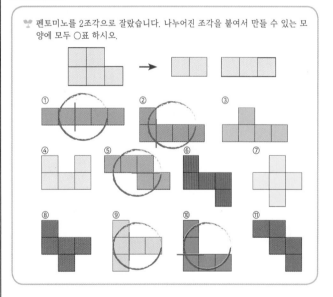

[풀이]
문제에서 주어진 2조각으로 나눌 수 있는 모양을 찾습니다. ○표 한 모양을 빨간색 선을 따라 자르면 됩니다.

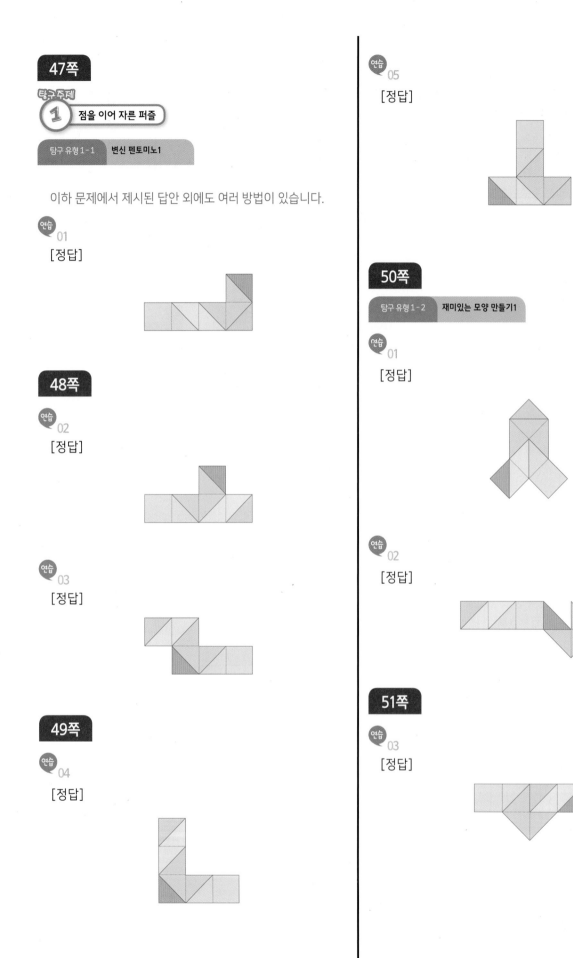

이하 문제에서 제시된 답안 외에도 여러 방법이 있습니다.

연습 01
[정답]

연습 02
[정답]

연습 03
[정답]

연습 04
[정답]

연습 05
[정답]

연습 01
[정답]

연습 02
[정답]

연습 03
[정답]

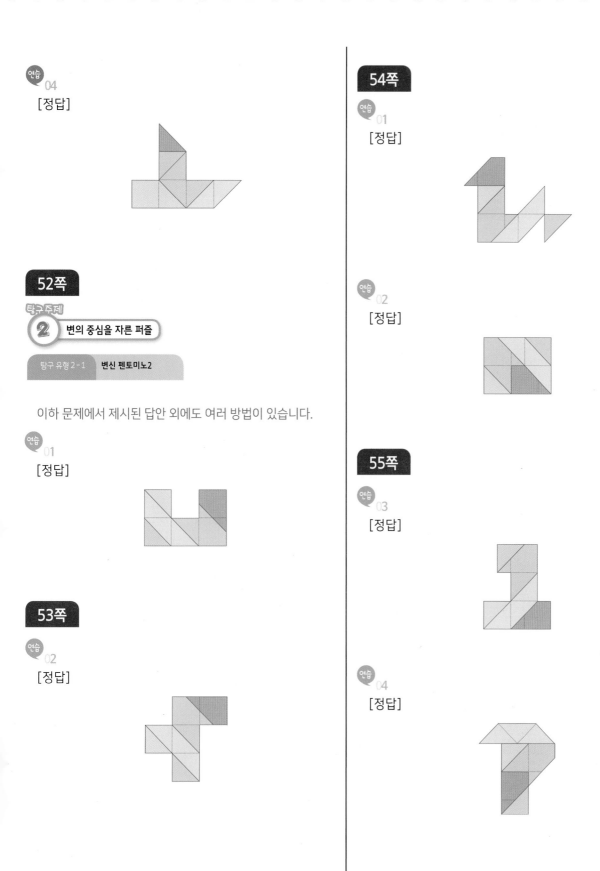

연습 04

[정답]

52쪽

탐구 주제

2 변의 중심을 자른 퍼즐

탐구 유형 2-1 변신 펜토미노 2

이하 문제에서 제시된 답안 외에도 여러 방법이 있습니다.

연습 01

[정답]

53쪽

연습 02

[정답]

54쪽

연습 01

[정답]

연습 02

[정답]

55쪽

연습 03

[정답]

연습 04

[정답]

56쪽

연습 05

[정답]

연습 03

[정답]

57쪽

탐구주제

③ 탑디스 퍼즐

🔍 서로 다른 펜토미노를 한 쌍씩 사용하여 다음 모양을 만드시오.

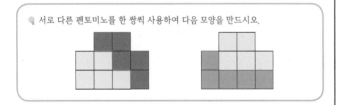

[풀이]

펜토미노 하나를 채워 넣은 후 남은 5개 칸이 이어져 또 다른 펜토미노를 만들 수 있어야 합니다.

이하 문제에서는 돌리거나 뒤집은 모양도 가능합니다.

58쪽

연습 01

[정답]

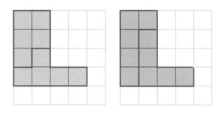

[풀이] 합친 모양의 높이나 너비가 4칸이 되어야 합니다.

59쪽

연습 02

[정답]

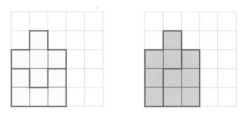

[풀이]

합친 모양의 높이나 너비가 4칸이 되어야 합니다. 노란색 펜토미노들로 높이 4칸의 모양을 만들려면 오목한 부분과 볼록한 부분을 맞춰야 합니다.

연습 03

[정답]

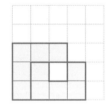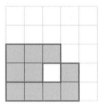

[풀이]

두 펜토미노를 붙인 모양이 정확히 맞지 않고 중간에 빈칸이 하나 생겨야 합니다.

TOP 사고력

01
[정답]

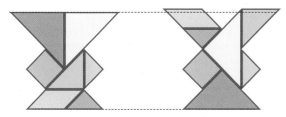

[풀이]

두 개의 컵 모양 중 첫 번째 모양은 보라색 퍼즐을 입구 쪽 모양을 만드는데 쓰고 두 번째 모양은 보라색 퍼즐을 컵 받침 모양을 만드는데 사용합니다.

두 모양이 같은 크기고 두 번째 모양만 삼각형 모양이 빠진 것처럼 보이지만 퍼즐을 완성하면 두 번째 퍼즐의 높이가 더 높은 것을 확인할 수 있습니다.

02
[정답]

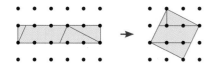

[풀이]

오른쪽 모양 4개와 정사각형 1개로 자르는 방법도 있지만 이 방법은 5조각으로 잘라야 합니다. 위와 같이 자르면 4조각으로 잘라 붙일 수 있습니다.

03
[정답]

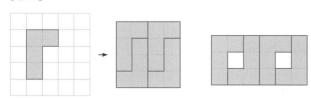

[풀이]

퍼즐 조각 하나는 4칸으로 이루어져 있습니다. 4칸으로 이루어진 퍼즐 조각으로 가능한 것은 다음과 같습니다.

4. 도형 움직이기

생각열기

15번 뒤집기, 15번 돌리기

카드를 연속해서 뒤집은 모양을 각각 그리시오.

| △ | ⊹ | ○ | ⊹ | △ | ⊹ | ○ | ⊹ | △ |

오른쪽으로 뒤집기　오른쪽으로 뒤집기　오른쪽으로 뒤집기　오른쪽으로 뒤집기

카드를 연속해서 돌린 모양을 각각 그리시오.

| △ | ⊕ | ▷ | ⊕ | ▽ | ⊕ | ◁ | ⊕ | △ |

반의 반바퀴 돌리기　반의 반바퀴 돌리기　반의 반바퀴 돌리기　반의 반바퀴 돌리기

카드를 오른쪽으로 15번 뒤집었을 때와 ⊕ 만큼 15번 돌렸을 때의 모양을 그리시오.

15번 뒤집은 결과　　　　15번 돌린 결과

| ○ | | ◁ |

♛ 앞면이 보이는 카드를 오른쪽으로 19번 뒤집었을 때와 ⊕ 방향으로 19번 돌렸을 때의 모양을 그리시오.

(1)

♡ ◇
앞면 뒷면

⊹ 19번 뒤집기 ➡ ◇

⊕ 19번 돌리기 ➡ ♡

(2)

◗ ◇
앞면 뒷면

⊹ 19번 뒤집기 ➡ ◇

⊕ 19번 돌리기 ➡ ⊖

[풀이] 카드를 연속해서 뒤집고 돌린 모양은 다음과 같습니다.

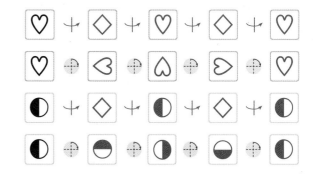

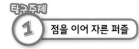

65쪽

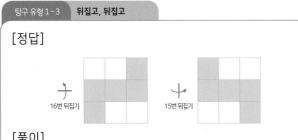

탐구 유형 1-3 뒤집고, 뒤집고

[정답]

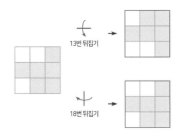

[풀이]

16은 짝수이기 때문에 16번 뒤집으면 똑같은 모양이 나오고 15는 홀수이기 때문에 15번 뒤집으면 오른쪽으로 한 번 뒤집은 모양이 나옵니다.

01

[정답]

[풀이]

13은 홀수이므로 13번 뒤집으면 1번 아래로 뒤집은 모양이 나오고 18은 짝수이므로 18번 뒤집으면 똑같은 모양이 나옵니다.

66쪽

02

[정답]

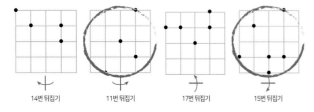

[풀이]

짝수 번 뒤집으면 똑같은 모양이 나오고 홀수 번 뒤집으면 그 방향으로 한 번 뒤집은 것과 같은 모양이 나옵니다. (뒤집은 후의 모양은 정답 참고)

03

[정답]

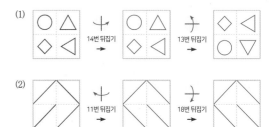

[풀이]

짝수 번 뒤집으면 똑같은 모양이 나오고 홀수 번 뒤집으면 그 방향으로 1번 뒤집은 것과 같은 모양이 나옵니다.

67쪽

탐구주제
2 돌리기

시계 방향으로 돌린 모양과 시계 반대 방향으로 돌린 모양을 비교하시오.

시계 방향으로 1번 돌린 모양과 시계 반대 방향으로 3번 돌린 모양, 시계 방향으로 3번 돌린 모양과 시계 반대 방향으로 1번 돌린 모양, 시계 방향으로 2번 돌린 모양과 시계 반대 방향으로 2번 돌린 모양이 서로 같습니다.

68쪽

탐구 유형 2-1 돌린 모양

[정답]

(1)

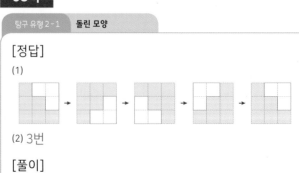

(2) 3번

[풀이]

모양을 돌릴 때 정답에서 빨간색 테두리로 표시한 빈 공간이 어떻게 움직이는지 관찰합니다. 3번 돌릴 때 처음으로 보라색 모양과 같은 위치에 있게 됩니다.

[정답]

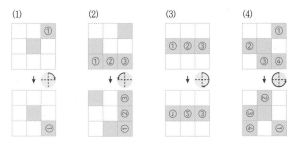

[풀이]

주어진 방법대로 1번 돌리면 색칠한 부분이 어느 곳으로 움직이는지 관찰합니다. 번호를 적어 관찰할 수 있습니다.

69쪽

[정답] (1) 7 (2) 6 (3) 13

[풀이] 수 배열표를 한 번 돌리면 다음과 같습니다.

[정답]

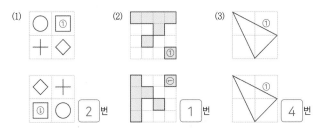

[풀이]

숫자 ①을 써넣고 어디로 움직이는지 비교합니다.(정답 참고)

70쪽

탐구 유형 2 - 2 **돌리기를 간단하게**

[정답]

(1)

(2)

[풀이] 돌리는 방법을 다음과 같이 간단히 할 수 있습니다.

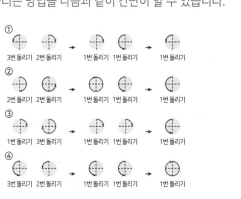

[정답]

[풀이] 돌리는 방법을 다음과 같이 간단히 할 수 있습니다.

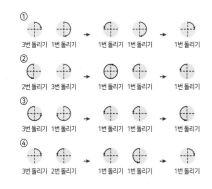

탐구 유형 2-3　돌리고, 돌리고

[정답]

(1) ㉠ 1번 돌리기　㉡ 1번 돌리기　㉢ 1번 돌리기　㉣ 1번 돌리기

(2)

[풀이] 돌리는 방법을 다음과 같이 간단히 할 수 있습니다.

21번 돌리기 18번 돌리기 → 1번 돌리기 2번 돌리기 → 1번 돌리기 1번 돌리기 → 1번 돌리기

[정답]

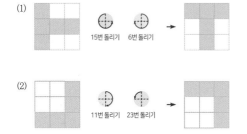

(1)　15번 돌리기　6번 돌리기 →

(2)　11번 돌리기　23번 돌리기 →

[풀이] 돌리는 방법을 다음과 같이 간단히 할 수 있습니다.

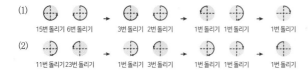

(1) 15번 돌리기 6번 돌리기 → 3번 돌리기 2번 돌리기 → 1번 돌리기 1번 돌리기 → 1번 돌리기
(2) 11번 돌리기 23번 돌리기 → 1번 돌리기 3번 돌리기 → 1번 돌리기 1번 돌리기 → 1번 돌리기

[정답]

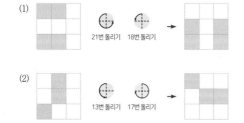

(1)　21번 돌리기　18번 돌리기 →

(2)　13번 돌리기　17번 돌리기 →

[풀이] 돌리는 방법을 다음과 같이 간단히 할 수 있습니다.

(1) 21번 돌리기 18번 돌리기 → 1번 돌리기 2번 돌리기 → 1번 돌리기 1번 돌리기 → 1번 돌리기
(2) 13번 돌리기 17번 돌리기 → 1번 돌리기 1번 돌리기 → 1번 돌리기

[정답]

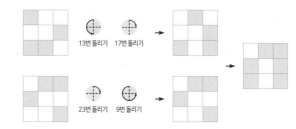

13번 돌리기　17번 돌리기 →

23번 돌리기　9번 돌리기 →

[풀이]

위의 돌리는 방법을 간단히 하면 ❀ 만큼 1번 돌리는 것과 같고 아래의 돌리는 방법대로 돌리면 처음 모양과 같습니다.

탐구주제
③　뒤집기 돌리기

처음 모양을 아래와 같이 돌리고 뒤집은 모양을 그리시오.

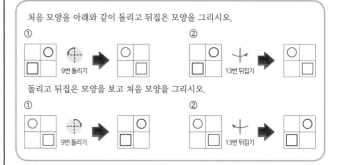

① 9번 뒤집기 →　② 13번 뒤집기 →

돌리고 뒤집은 모양을 보고 처음 모양을 그리시오.

① 9번 뒤집기 →　② 13번 뒤집기 →

탐구 유형 3-1　뒤집고 돌리기

[정답]

(1)　　(2)　

[풀이]

33번 돌린 것은 같은 방법으로 1번 돌린 것과 같고 21번 뒤집은 것은 같은 방법으로 1번 뒤집은 것과 같습니다. ❀ 만큼 1번 돌리고 오른쪽으로 1번 뒤집은 모양을 찾습니다.

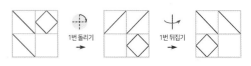

1번 돌리기　1번 뒤집기

[정답] 풀이 참고

[풀이] 돌리고 뒤집기를 간단히 하면 다음과 같습니다.

(1)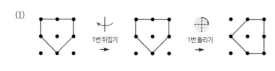

(2)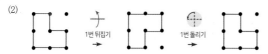

75쪽

 02

[정답] 풀이 참고

[풀이] 돌리고 뒤집기를 간단히 하면 다음과 같습니다.

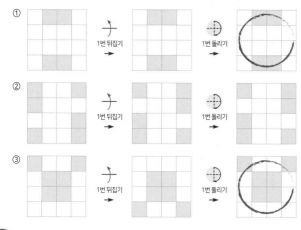

 03

[정답]

[풀이]

돌리고 뒤집기를 간단히 하면 위쪽으로 1번 뒤집고 시계 방향으로 반 바퀴 돌린 것과 같습니다. 돌리고 뒤집은 모양은 다음과 같습니다.

$$\text{⊟⊟} \rightarrow \text{⊟⊟} \rightarrow \text{⊟⊟} \quad \text{⊟⊟} \rightarrow \text{⊟⊟} \rightarrow \text{⊟⊟}$$

$$\text{⊟⊟} \rightarrow \text{⊟⊟} \rightarrow \text{⊟⊟}$$

76쪽

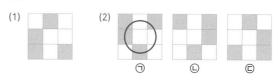

[정답]

(1) (2)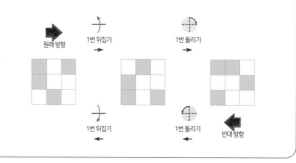

[풀이]

⊕ 만큼 27번 돌리는 것은 ⊕ 만큼 1번 돌린 것과 같습니다. 위쪽으로 15번 뒤집은 것은 위쪽으로 1번 뒤집은 것과 같습니다. 뒤집고 돌리기를 반대로 하면 다음과 같습니다.

 01

[정답]

[풀이]

⊕ 만큼 7번 돌리는 것은 ⊕ 만큼 1번 돌린 것과 같습니다. 오른쪽 모양을 ⊕ 만큼 1번 돌려 처음 모양을 구할 수 있습니다.

연습 02

[정답] 풀이 참고

[풀이] 돌리고 뒤집는 방법을 간단히 하면 다음과 같습니다.

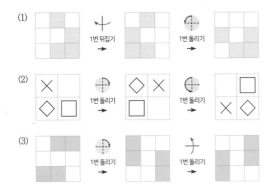

반대로 돌리고 뒤집어 처음 모양을 구합니다.

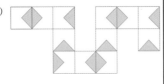

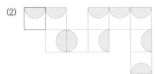

연습 03

[정답] (1) 　　(2)

[풀이] 오른쪽 그림과 같이 (1) 거꾸로 이동하여 구합니다.

(2)

78쪽

🏁 TOP 사고력

01

[정답] (1) 　　(2)

[풀이] 첫 번째 접을 때 왼쪽으로 한 번 뒤집히고 두 번째에는 그대로고 세 번째는 아래로 한 번 뒤집히게 됩니다.

02

[정답]

[풀이] 한 번 돌릴 때마다 칸에 있는 모양이 시계 방향으로 한 칸 옆으로 움직이면서 시계 방향으로 반의 반 바퀴 돌게 됩니다. 아래와 같이 모양을 찾을 수 있습니다.

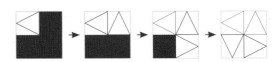

79쪽

03

[정답]

[풀이]

짝수 번째 모양은 이전 순서의 모양을 시계 방향으로 반의 반 바퀴 돌린 모양이고 홀수 번째 모양은 이전 순서의 모양을 시계 방향으로 반 바퀴 돌린 모양입니다. 따라서 20번 돌린 모양은 처음 모양을 ⊕ 만큼 10번 돌리고 ⊕ 만큼 10번 돌린 모양입니다. 돌리기를 간단히 하면 ⊕ 만큼 1번 돌린 것과 같습니다. 따라서 처음 모양은 20번 돌린 모양을 ⊕ 만큼 1번 돌려 구할 수 있습니다.

04

[정답]

[풀이]

뒤집고 돌리는 방법을 간단히 하면 오른쪽으로 1번 뒤집고, ⊕ 만큼 1번 돌린 모양과 같습니다. 이와 같이 뒤집고 돌리는 방법을 거꾸로 따라가면 주황색 삼각형의 위치를 다음과 같이 찾을 수 있습니다.

81쪽

1. 논리 추론

01

[정답] 496

[풀이]

백의 자리 숫자는 6도 9도 아니므로 4입니다. 같은 방법으로 다른 자리의 숫자도 구할 수 있습니다.

02

[정답] 주은, 동호, 재민, 영희

[풀이]

가장 왼쪽의 사람이 영희, 동호, 재민 셋 다 아니므로 가장 왼쪽의 사람은 주은이입니다. 같은 방법으로 다른 자리의 사람들도 구할 수 있습니다.

82쪽

03

[정답] ㉣

[풀이]

첫 번째, 두 번째 설명을 비교해 백설공주의 위치가 ㉠인 것을 알 수 있고, 첫 번째, 세 번째 설명을 비교해 신데렐라의 위치가 ㉤인 것을 알 수 있습니다.

04

[정답] 가을

[풀이]

조건에 따라 왼쪽과 같이 ○, X를 써넣을 수 있습니다. 한 줄에 ○표 1개, X표 3개를 써넣어 표를 완성합니다.

계절\이름	민규	지민	수진	영수
봄				
여름	X			
가을				X
겨울		○		X

→

계절\이름	민규	지민	수진	영수
봄	X	X	X	○
여름	X	X	○	X
가을	○	X	X	X
겨울	X	○	X	X

83쪽

05

[정답] 현희

[풀이]

조건에 따라 왼쪽과 같이 ○, X를 써넣을 수 있습니다. 한 줄에 ○ 1개, X 3개를 써넣어 표를 완성합니다.

등수\이름	현희	다혜	수형	기훈
1등	X		X	
2등				
3등				○
4등		X		

→

등수\이름	현희	다혜	수형	기훈
1등	X	○	X	X
2등	○	X	X	X
3등	X	X	X	○
4등	X	X	○	X

06

[정답] ①번

[풀이]

1, 3번째 조건으로 왼쪽과 같이 빨간색 ○를 써넣을 수 있습니다. 2번째 조건으로 오른쪽에 파란색 ○, X를 써넣어 표를 완성할 수 있습니다.

번호\색깔	분홍색	보라색	노란색	초록색
①				
②				
③				○
④		○		

→

번호\색깔	분홍색	보라색	노란색	초록색
①	○	X	X	X
②	X	X	○	X
③	X	X	X	○
④	X	○	X	X

84쪽

07

[정답] 풀이 참고

[풀이]

①, ②번 조건으로 왼쪽과 같이 ○, X를 써넣어 표를 완성할 수 있습니다.

옷\이름	나연	하은	지수
긴팔			
반팔			○
원피스	X		

→

옷\이름	나연	하은	지수
긴팔	○	X	X
반팔	X	X	○
원피스	X	○	X

④번 조건으로 원피스를 입은 하은이의 옷은 초록색이 아닌 것을, ③번 조건으로 나연이의 옷이 노란색임을 알 수 있습니다. 왼쪽과 같이 ○, X를 써넣어 표를 완성할 수 있습니다.

색깔\이름	나연	하은	지수
흰색			
노란색	○		
초록색		X	

→

색깔\이름	나연	하은	지수
흰색	X	○	X
노란색	○	X	X
초록색	X	X	○

08

[정답] 8월, 10살

[풀이]

①, ②번 조건으로 왼쪽과 같이 ○, X를 써넣어 표를 완성할 수 있습니다.

월＼이름	민현	철호	지연
5월		○	
8월			
12월	X		

→

월＼이름	민현	철호	지연
5월	X	○	X
8월	○	X	X
12월	X	X	○

④번 조건으로 생일이 12월인 지연이는 7살인 것을, ③번 조건으로 철호는 10살이 아닌 것을 알 수 있습니다. 왼쪽과 같이 ○, X를 써넣어 표를 완성할 수 있습니다.

나이＼이름	민현	철호	지연
7살			○
9살			
10살		X	

→

나이＼이름	민현	철호	지연
7살	X	X	○
9살	X	○	X
10살	○	X	X

85쪽

09

[정답] 다솜

[풀이] ○표를 한 번만 한 경우를 찾습니다.

유경이가 먹은 경우

유경	다솜	은지
X	X	X

다솜이가 먹은 경우

유경	다솜	은지
X	○	X

은지가 먹은 경우

유경	다솜	은지
○	○	○

10

[정답] 윤제

[풀이] ○표를 두 번 한 경우를 찾습니다.

민성이가 100점을 받은 경우

민성	윤제	영수
○	X	X

윤제가 100점을 받은 경우

민성	윤제	영수
X	○	○

영수가 100점을 받은 경우

민성	윤제	영수
X	X	○

86쪽

11

[정답] 지훈

[풀이] ○표를 한 번만 한 경우를 찾습니다.

승욱이가 꽃을 산 경우

승욱	명호	지훈	효상
X	○	X	○

지훈이가 꽃을 산 경우

승욱	명호	지훈	효상
X	X	○	X

명호가 꽃을 산 경우

승욱	명호	지훈	효상
X	○	X	○

효상이가 꽃을 산 경우

승욱	명호	지훈	효상
○	○	X	○

12

[정답] 말

[풀이]

사슴이 3등이라고 가정하면 영은이의 예상이 모두 맞지 않습니다. 양이 4등입니다.

사슴이 3등인 경우	양이 4등인 경우

87쪽

13

[정답] 4132

[풀이]

백의 자리 숫자가 4라고 가정하면 일의 자리 숫자는 2가 아니고 깜이의 예상 중 십의 자리 숫자가 3인 것이 맞고 일의 자리 숫자가 4인 것이 거짓입니다. 이때 아름이의 예상은 모두 거짓입니다.

백의 자리가 4인 경우	일의 자리가 2인 경우

14

[정답] 한라산

[풀이]

설악산이 첫 번째라고 가정하면 태백산은 네 번째가 아니고 수형이의 예상 중 설악산이 네 번째라는 것이 거짓이고 한라산이 두 번째인 것이 맞습니다. 이때 도은이의 예상은 모두 거짓입니다.

설악산이
첫 번째인 경우

손영: 설악산 첫 번째, 태백산 네 번째
수형: 설악산 네 번째, 한라산 두 번째
도은: 백두산 첫 번째, 한라산 세 번째

태백산이
네 번째인 경우

손영: 설악산 첫 번째, 태백산 네 번째
수형: 설악산 네 번째, 한라산 두 번째
도은: 백두산 첫 번째, 한라산 세 번째

15

[정답] 412

[풀이]

589와 134로 1, 4를 사용하고 5, 9를 사용하지 않은 것을 알 수 있습니다. 495로 백의 자리 숫자가 4인 것을 알 수 있습니다. 251로 2를 사용한 것을 알 수 있습니다. 251과 134를 비교하여 1의 위치는 백의 자리도, 일의 자리도 아닌 것을 알 수 있습니다. 1은 십의 자리 숫자입니다.

16

[정답] 586

[풀이]

923과 268을 비교하여 2, 3, 9를 사용하지 않고 6, 8을 사용한 것을 알 수 있습니다. 268과 563을 통해 5는 백의 자리 숫자이고 6은 십의 자리 숫자가 아닌 것을 알 수 있습니다. 6은 일의 자리 숫자입니다. 8은 십의 자리 숫자여야 합니다.

2. 경로와 위치

01

[정답]

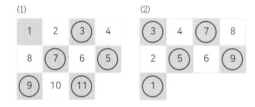

[풀이]

방이 홀수 개 있고 양옆이나 위아래로 움직일 때 홀수와 짝수를 번갈아가면서 이동하므로 모든 방을 1번씩 지나려면 1번 방에서 출발해서 마지막에 홀수 번 방에 도착해야 합니다.

02

[정답] 풀이 참고

[풀이]

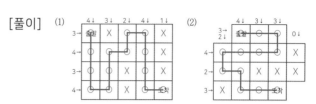

길이 지나가는 칸에 ○표 합니다. 각 줄에 써넣을 수 있는 ○의 개수가 채워지면 그 줄의 나머지 칸에 X표 합니다.

03

[정답] (1) 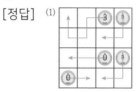 (2)

[풀이] 3, 4번 청소기가 지나가는 길을 먼저 그립니다. 여러 가지 답이 있습니다.

04

[정답]

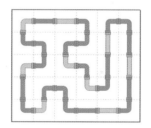

[풀이]

하나의 칸에 닿는 파이프의 끝 부분이 두 개 있다면 그 칸에는 이웃한 파이프를 모두 연결할 수 있게 파이프를 놓아야 합니다.

05

[정답]

[풀이]

선을 이을 수 없는 곳에 X표 하며 길을 구합니다. 모서리의 점은 반드시 가장 가까운 거리의 점과 연결해야 합니다. 점들의 일부만 하나로 연결되어서는 안됩니다.

[정답]

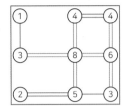

[풀이]

6, 8이 적힌 섬에는 연결할 수 있는 모든 다리를 연결해야 합니다. 정답의 그림에서 파란색 선분으로 표시했습니다. 나머지 다리도 조건에 맞게 그립니다.

92쪽

07

[정답]

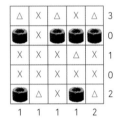

[풀이]

우물과 이웃하지 않은 칸, 우물의 개수가 0인 줄의 칸에 X표 합니다. 표의 오른쪽, 아래쪽의 수와 각 줄에 있는 X의 개수를 비교하여 마을을 찾습니다. 이때 마을과 마을이 이웃하지 않아야 합니다.

08

[정답]

△	●	X	△	●	X	2
X	X	X	X	X	X	0
△	●	●	X	△	●	2
X	X	△	X	X	X	1
●	X	X	X	X	△	1
△	X	X	△	●	●	2
3	0	1	2	1	1	

[풀이] 7번 풀이 참고

93쪽

09

[정답]

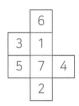

이 외에도 여러 가지 방법이 있습니다.

[풀이]

빨간색 칸 안에 1과 7을 써넣습니다. 그다음 2와 6을 각각 1, 7과 이웃하지 않게 써넣습니다.

10

[정답]

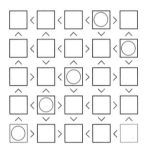

[풀이]

5는 각 줄의 □ 안에 들어갈 수 있는 수 중 가장 큰 수이기 때문에 이웃하는 □ 안에 더 큰 수가 들어갈 수 없는 칸을 먼저 찾습니다. ○표 한 칸 외에도 파란색 칸 안의 수 역시 이웃하는 두 칸의 수보다 크지만 빨간색 칸 안에 5를 써넣어야 하기 때문에 파란색 칸 안에는 5를 써넣을 수 없습니다.

94쪽

11

[정답]

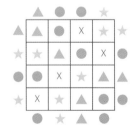

[풀이] 모서리 칸 안에 모양을 먼저 써넣습니다. 왼쪽 아래의 모서리 칸 안에는 모양이 들어가지 않습니다.

12

[정답]

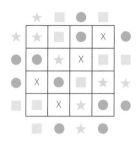

[풀이] 모서리 칸 안에 모양을 먼저 써넣습니다. 오른쪽 위의
모서리 칸 안에는 모양이 들어가지 않습니다.

95쪽

13

[정답]

	5	2	1	4	3	
5	5	2	1	4	3	3
1	1	5	4	3	2	2
3	3	1	5	2	4	4
2	2	4	3	1	5	5
4	4	3	2	5	1	1
	4	3	2	5	1	

[풀이] 한 줄에 같은 수가 한 번만 들어가도록 써넣습니다.

14

[정답]

(1)

	8	7	6	9	10
10	2	2	2	2	2
9	2	2	1	2	2
8	2	1	1	2	2
7	1	1	1	2	2
6	1	1	1	1	2

(2)

	10	7	6	8	9
6	2	1	1	1	1
9	2	2	1	2	2
10	2	2	2	2	2
8	2	1	1	2	2
7	2	1	1	1	2

[풀이]

수가 10인 줄의 칸에 모두 2를 써넣습니다. 수가 6인 줄에는
2를 하나만 써넣어야 하므로 그 줄의 나머지 칸에 모두 1을 써
넣습니다.

96쪽

15

[정답]

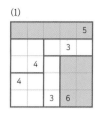

[풀이]

색칠한 칸부터 먼저 나누고 나머지 부분도 사각형이 되도록
나눕니다.

16

[정답]

2	1		1		4
		6	4		5
	6				
1		3	5	4	3
	5				
5		5		1	3

[풀이]

1이 있는 칸을 나누는 선을 그리고 색칠한 칸을 나누는 선을
그립니다. 넓이가 같은 조각 끼리는 서로 이웃할 수 없습니다.

97쪽

3. 펜토미노 퍼즐

이 단원의 이하 문제에서는 제시된 답안 외에도 여러 방법이
있습니다.

01

[정답]

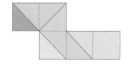

02
[정답]

98쪽

03
[정답]

04
[정답]

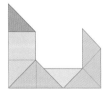

99쪽

05
[정답]

06
[정답]

100쪽

07
[정답]

101쪽

08
[정답]

09
[정답]

102쪽

10
[정답]

11
[정답]

12

[정답]

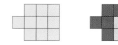

[풀이]

가장 윗줄부터 순서대로 3칸, 4칸, 3칸으로 이루어진 모양을
만듭니다.

13

[정답]

[풀이]

보라색과 연두색 팬토미노를 합쳐 한 줄에 4칸이 오도록 만듭
니다.

14

[정답]

[풀이] 보라색 사각형 퍼즐을 ◇ 모양으로 보이게 사용합니다.

15

[정답]

[풀이] 분홍색 사각형 퍼즐을 ◇ 모양으로 보이게 사용합니다.

4. 도형 움직이기

01

[정답]

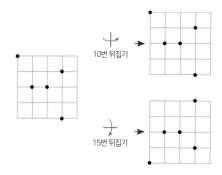

[풀이]

짝수 번 뒤집으면 똑같은 모양이 나오고 홀수 번 뒤집으면 1번
뒤집은 것과 같은 모양이 나옵니다.

02

[정답]

[풀이]

(1)번은 왼쪽으로 한 번 뒤집고 위로 한 번 뒤집은 것과 같습니다.

(2)번은 왼쪽으로 한 번 뒤집은 것과 같습니다.

| 9 | → | ℓ | → | 6 |

| 3 | → | ℇ |

03

[정답]

(1)

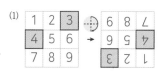

(2)

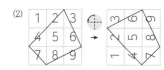

[풀이] 번호를 써넣고 번호가 어떻게 움직이는지 찾습니다.

[정답]

(1)

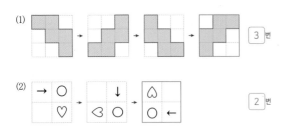

3 번

(2)

2 번

[풀이]

돌린 모양을 연속해서 그려 오른쪽 모양이 몇 번째에 나오는 지 구합니다. (정답 참고)

107쪽

05
[정답]

(1)

(2)

[풀이] 돌리는 방법을 간단히 하면 다음과 같습니다.

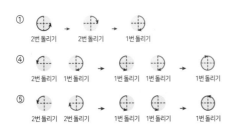

06
[정답]

① 2번 돌리기 ② 1번 돌리기 ③ 4번 돌리기
④ 2번 돌리기 ⑤ 1번 돌리기 2번 돌리기 2번 돌리기

[풀이]

①번 방법 외의 나머지 방법은 돌리면 원래 모양이 나옵니다.
①, ④, ⑤번 방법을 간단히 하는 과정은 다음과 같습니다.

① 2번 돌리기 → 2번 돌리기 → 1번 돌리기

④ 2번 돌리기 1번 돌리기 → 1번 돌리기 1번 돌리기 → 1번 돌리기

⑤ 2번 돌리기 2번 돌리기 → 1번 돌리기 1번 돌리기 → 1번 돌리기

108쪽

07
[정답]

(1)

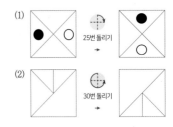

25번 돌리기

(2)

30번 돌리기

[풀이]

(1)번의 돌리는 방법을 간단히 하면 ⊕ 만큼 1번 돌리는 것과 같고, (2)번의 돌리는 방법을 간단히 하면 ⊕ 만큼 1번 돌리는 것과 같습니다.

08
[정답]

(1)

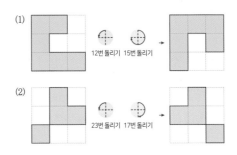

12번 돌리기 15번 돌리기

(2)

23번 돌리기 17번 돌리기

[풀이]

(1)번의 돌리는 방법을 간단히 하면 ⊕ 만큼 1번 돌리는 돌리는 것과 같고, (2)번의 돌리는 방법을 간단히 하면 ⊕ 만큼 1번 돌리는 것과 같습니다.

109쪽

09
[정답]

11번 뒤집기 14번 돌리기

[풀이] 위로 1번 뒤집은 모양을 구하고, 다시 이 모양을 ⊕ 만큼 1번 돌린 모양을 구합니다.

10
[정답]

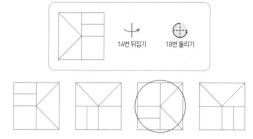

[풀이]

뒤집고 돌리는 방법을 간단히 하면 ⊕ 만큼 1번 돌린 것과 같습니다.

110쪽

11
[정답]

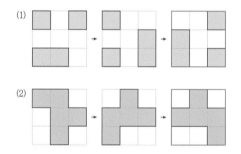

[풀이] ⊕ 만큼 1번 돌리고 왼쪽으로 1번 뒤집은 것과 같습니다.

12
[정답]

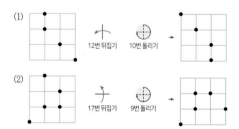

[풀이] (1)번 방법과 같이 뒤집고 돌리면 ⊕ 만큼 1번 돌린 것과 같고 (2)번 방법과 같이 뒤집고 돌리면 위로 1번 뒤집고 ⊕ 만큼 1번 돌린 것과 같습니다.

111쪽

13
[정답]

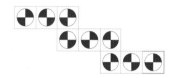

[풀이]

오른쪽으로 이동하면 ⊕ 만큼 1번 돌린 모양을 그리고, 아래로 이동하면 아래로 1번 뒤집습니다. 위와 같이 각 칸에 들어갈 모양을 그릴 수 있습니다.

14
[정답]

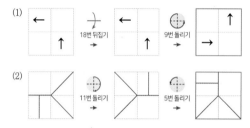

[풀이]

돌리고 뒤집는 것을 반대 방향으로 합니다. (1)번의 경우 ⊕ 만큼 1번 돌려서, (2)번의 경우 ⊕ 만큼 1번 돌린 후 ⊕ 만큼 1번 돌려서 처음의 모양을 구할 수 있습니다.

112쪽

15
[정답]

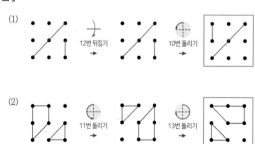

[풀이]

돌리고 뒤집는 것을 반대 방향으로 합니다. (1)번의 경우 ⊕ 만큼 1번 돌려서, (2)번의 경우 ⊕ 만큼 1번 돌려서 처음의 모양을 구할 수 있습니다.

16

[정답]

[풀이]

주어진 모양을 아래로 1번 뒤집고 ⊕ 만큼 1번 돌린 모양을 구합니다.

두 개의 연역표

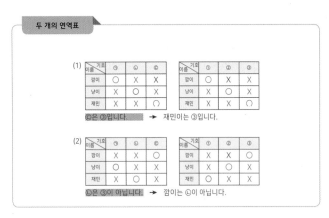

구멍 뚫린 사각형

두 개의 석상

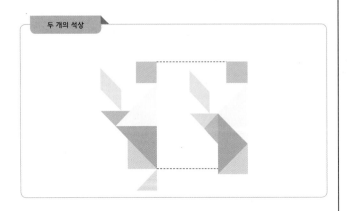

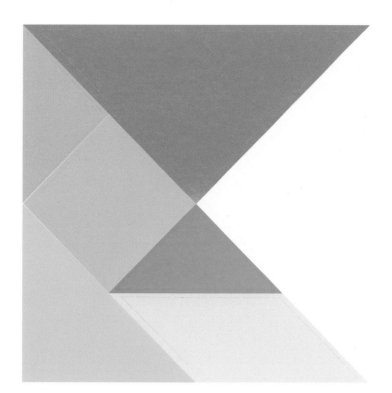

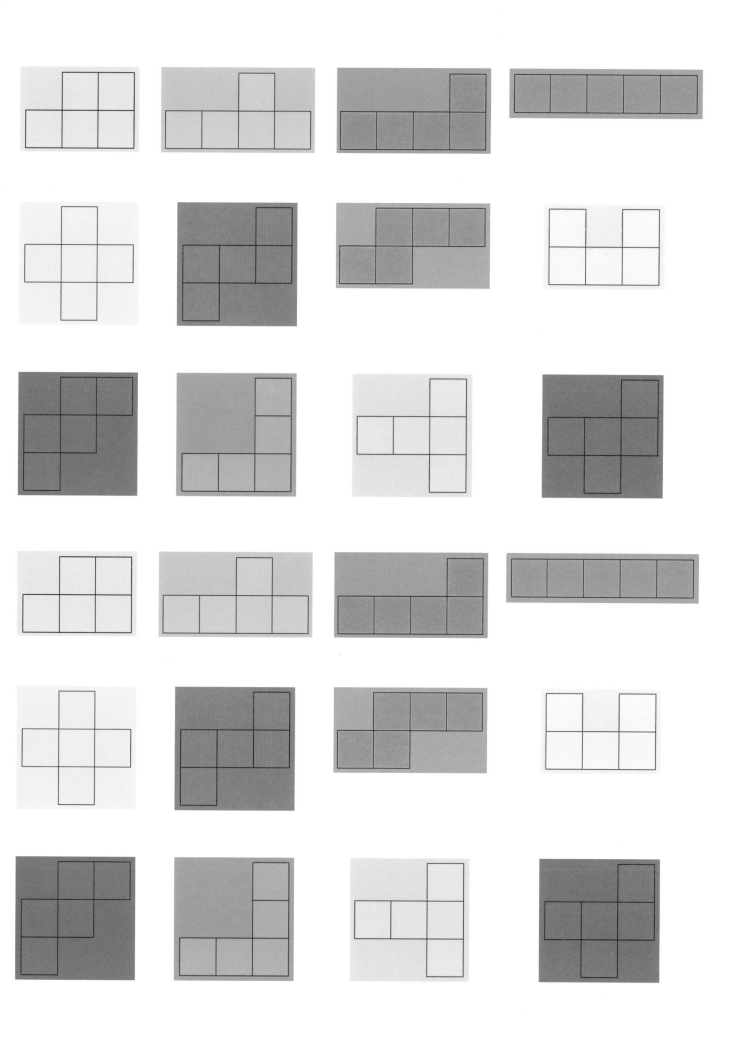

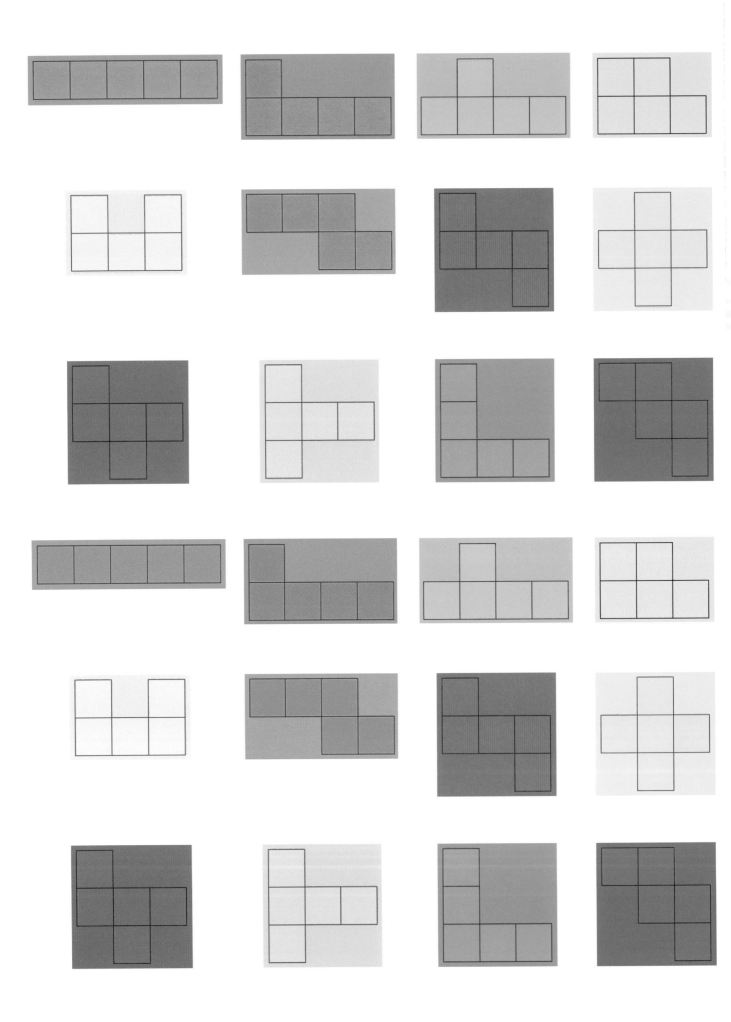

천종현수학연구소는

천종현 연구소장 아래 사고력 수학 교재를 써온 집필진으로 이루어져 있습니다. 사고력 수학을 가르치는 것으로부터 시작하여 사고력, 창의력 교재를 개발하면서 원리로부터 시작하는 단계적 학습을 중요하게 생각하는 실전에 강한 사고력 전문가 집단입니다.

원리를 이해하는 공부가 아니라 방법을 암기하는 수학 공부법에 대한 문제 인식을 가지고 아이들이 쉽고 재미있게 공부하면서도 생각하는 힘이 자라는 수학 컨텐츠를 연구하고 있습니다.

실력을 쌓는 수학 공부는 연산도 연습과 함께 원리가 중요합니다.
원리셈은 생활 속 소재와 교구 그림을 통해 쉽게 원리를 익히고, 다양한 문제로 재미있게 반복 연습할 수 있는 연산 교재입니다.

5·6세 단계

수와 수학을 처음 배우는 단계

수 읽기, 세기, 쓰기를 붙임 딱지를 활용하여 재미있게 공부하도록 구성

매 단원의 마지막은 쉽고 재미있는 내용의 사고력 수학

6·7세 단계

수를 세어 덧셈, 뺄셈의 개념을 아는 단계

20까지의 수를 차례로 세어 덧셈, 뺄셈을 이해하고 생활 속 소재와 흥미 있는 연산 퍼즐을 통해 재미있게 공부

7·8세 단계

한 자리 덧셈, 뺄셈을 확실히 잡아가는 단계

받아올림, 받아내림 없는 덧셈, 뺄셈 다지기와 10의 보수 학습을 통한 받아올림, 받아내림의 개념 잡기

초등1 단계

초등 1학년 단계

받아올림, 받아내림 없는 두 자리 덧셈, 뺄셈과 받아올림, 받아내림이 있는 한 자리 덧셈, 뺄셈의 집중 연습

마지막 단원은 앱을 이용하여 시간을 재고 다른 친구들의 기록과 비교하는 집중 연산

초등2 단계

초등 2학년 단계

두 자리 덧셈, 뺄셈과 곱셈구구 그리고, 나눗셈의 개념 알기

마지막 단원은 앱을 이용하여 시간을 재고 다른 친구들의 기록과 비교하는 집중 연산

초등3 단계

초등 3학년 단계

세 자리 덧셈과 뺄셈과 두/세 자리 곱셈, 나눗셈

총 6개 단원으로 그 중 2개 단원은 앱을 이용하여 시간을 재고 다른 친구들의 기록과 비교하는 집중 연산

초등4 단계

초등 4학년 단계

큰 수의 곱셈과 나눗셈, 분수와 소수의 덧셈과 뺄셈, 자연수 혼합 계산

총 6개 단원으로 그 중 2개 단원은 앱을 이용하여 시간을 재고 다른 친구들의 기록과 비교하는 집중 연산

초등5·6 단계

초등 5, 6학년 단계

분모가 다른 분수의 덧셈, 뺄셈, 분수와 소수의 곱셈과 나눗셈

6학년 연산 비중이 낮은 것을 고려한 통합 연산 단계

총 6개 단원으로 그 중 2개 단원은 앱을 이용하여 시간을 재고 다른 친구들의 기록과 비교하는 집중 연산

예비 중등 단계

초등 6학년, 중등 1학년 단계

유리수의 혼합 계산과 방정식의 계산 2권으로 중등 수학을 처음 접하는 학생들을 위한 원리 중심의 연산 교재

총 6개 단원으로 그 중 2개 단원은 앱을 이용하여 시간을 재고 다른 친구들의 기록과 비교하는 집중 연산